近代名人文库精粹

文库精粹

胡 适(下)

胡 适 ⊙ 著

陕西新华出版
太白文艺出版社·西安

胡 适
（下册）

演讲集

研究社会问题的方法

研究社会问题,当然和研究社会学的方法有关系。但这两种方法有不同的地方:社会学所研究的是社会状况;社会问题是研究个人生活状况。社会学是科学的,是普遍的;社会问题是地方的,是特别的。研究这两样的倾向既然不同,那研究的方法也该有区别。

再者,社会学的目的有两样:第一,要知道人类的共同生活究竟是什么样子,在社会里头,能不能把人类社会的普通道理找出来。第二,如果社会里的风俗习惯发生病的状态,应当用什么方法去补救。研究这两个问题,是社会学的目的。但我们研究社会问题,和它有一点不同。因为社会问题是特别的,是一国的,是地方的缘故。社会问题是怎样发生的呢?我们知道要等到社会里某种制度有了毛病,问题才能发生出来。如果没有毛病,就不会发生什么问题。好像走路、呼吸、饮食等等事体,平时不会发生问题,因为身体这时没有病的缘故。到了饮食不消化或呼吸不顺利的时候,那就是有病了,那就成为问题了。

中国有子孝妇顺的礼教,行了几千年,没有什么变迁。这是因为当时作儿子的和作媳妇的,对于孝顺的制度没有怀疑,所以不成问题。到现在的时候,作儿子的对于父母,作丈夫的对于妻子,作妻子的对于丈夫等等的礼法,都起了疑心。这一疑就是表明那些制度有点不适用,就是承认那些制度已经有了毛病。

要我们承认某种制度有了毛病,才能成为社会问题,才有研究的必

要。我说研究社会问题，应当有四个目的。现在就用治病的方法来形容：第一，要知道病在什么地方。第二，病是怎样起的，它的原因在那里。第三，已经知道病在那里，就得开方给它，还要知道某种药材的性质，能治什么病。第四，怎样用药。若是那病人身体太弱，就要想个用药的方法：是打针呢，是下补药呢？若是下药，是饭前呢，是饭后呢？是每天一次还是每天两次呢？医生医治病人，短不了这四步。研究社会问题的人，也是这样。现在所用的比喻是医生治病，所以说的都是医术的名词。各位可别误会，在未入本题之前，我们需要避掉两件事：

一、须避掉偏僻的成见

我们研究一种问题，最要紧的就是把成见除掉。不然，就会受它的障碍。比方一个病人跑到医生那里，对医生说："我这病或者是昨天到火神庙里去，在那里中了邪；或是早晨吃了两个生鸡蛋，然后不舒服。"如果那个医生是精明的，他必不听这病人的话。他先要看看脉，试试温度，验大小便，分析血液，然后下个诊断。他的功夫是从事实上下手，他不管那病人所说中了什么邪，或是吃了什么东西，只是一味虚心地去检验。我们要作社会的医生也是如此。

平常人对于种种事体，往往存着一种成见。比方娼妓问题和纳妾问题，我们对于它们，都存着一种道德的或宗教的成见，所以得不着其中的真相。真相既不能得着，那解决的方法也就无从下手了。所以我们对于娼妓的生涯，是道德是不道德，先别管它；只要从事实上把它分析得明明白白，不要靠着成见。我们要研究它与社会的经济、家庭的生计、工厂的组织等等现象，有什么关系。比方研究北京的娼妓问题，就得知道北京有什么工厂，工厂的组织是怎样的；南方的娼妓从那里来，与生计问题有什么关系，与南方的工厂有什么关系；千万不要当它作道德的问题，要把这种成见除掉，再从各种组织作入手研究的功夫。

二、须除掉抽象的方法

我们研究一种问题，若是没有具体的方法，就永远没有解决的日子。在医书里头，有一部叫作《汤头歌诀》，乡下人把它背熟了，就可以挂起牌来作医生；他只知道某汤头是去暑的，某汤头是补益的；某汤头是温，某汤头是寒；病人的病理，他是一概不知道的。这种背熟几支歌诀来行医的医生，自然比那看脉、检温、验便、查血的医生忽略得多；要盼望他能够得着同样的效验，是不可能的。

研究社会问题的人，有时也犯了背歌诀的毛病。我们再拿娼妓问题来说，有些人不去研究以上所说种种的关系，专去说什么道德啦，妇女解放啦，社交公开啦，经济独立啦，要知道这些都和《汤头歌诀》一样，虽然天天把它们挂在嘴上，于事实上是毫无补益的；不但毫无补益，且能教我们把所有的事实忽略过去。所以我说，第二样要把抽象的方法除掉。

已经知道避掉这两件事情，我就要说到问题的身上，我已经把研究社会问题的方法分作四步，现在就照着次序讲下去。

一、病在什么地方

社会的组织非常复杂，必定要找一个下手研究的地方；不然，所研究的就没有头绪，也得不着什么效果。所以我们在调查以前，应当作两步功夫，才能够得着病的所在。

第一步分析问题 我们得着一个问题，就要把它分析清楚，然后检查它的毛病。比方纳妾问题，分析出来，至少也有两种：一种是兽欲的，基于这种动机而纳妾的人，社会上稍有道德观念的，都不承认他是对的。一种是承嗣的，这是因为要有后嗣才去纳妾，自然和那兽欲的有分别。再从细里分析，兽欲的纳妾的原因，大概是在那里，它与财产制度、奢侈习惯、娼妓制度等等有什么关系。研究第一种的纳妾，在这些问题上，都要下功夫去研究，才能够明白。说到第二种的纳妾呢，我们就不能和前一例同样的看。有许多道学先生，到了四十多岁还没有儿子，那时候朋友劝他纳妾，兄弟也劝他，甚至自己的妻子也劝他，若是

妻子因为丈夫要纳妾承嗣的话，就起来反对，人家必要说这作妻子的不贤慧。这样看来，第二种的纳妾是很堂皇的。我们对于这个问题，要研究中国的宗教：人为什么一定要有后，为什么女子就不算数，要有男子才算有后；在道德上和宗教上有什么根据，它的结果怎样呢，它有什么效果，是不是有存在的理由。这些问题，都和兽欲纳妾问题不同，是研究的人所当注意的。

再举一个例，娼妓制度，决不是用四个字就可以把它概括起来的。我们亦把它的种类分析起来，就知有公娼私娼的分别。公娼是纳税公开的，他们在警察厅权限底下，可以自由营业；私娼是不受警察厅保护的，他们要秘密地营业。从娼妓的内容说，还有高等和下等的分别；从最高等到最下等的娼妓，研究起来，还可以分析，这种分析非常有用，切不可忽略过去。从卖淫的心理考察，也可以分出好几种。有一种是全由于兽欲的，他受了身体上或精神上的影响，所以去作卖淫的生活。但是从日本的娼妓研究下去，就知其中不全是如此。日本的娼妓，在他们的社会里头，早就成为一种特别的阶级。他们的卖淫，并不根据于兽欲，是以这事为一种娱乐；兽欲与娱乐是两样事体，所以研究的方法也不能一样。

第二步观察和调查　分析的功夫若是作完，我们就可以从事于问题的观察和调查。观察和调查的方法很多，我可以举出几条来给各位参考。

我们知道社会问题不是独立的。它有两种性质：一种是社会的，是成法的，非个人的。比方纳妾问题，绝不是一两个人能够作成，乃是根于社会制度或祖宗成法而来。一种是个人的，社会问题的发生，虽不在乎个人，然而社会是由个人组成的，它与个人自然有关系。因着这两种性质，我就说研究社会问题有两方面：一方面是内包，一方面是外延；我们要从这两方面研究。所以调查的功夫，越精密越好。我们拿北京的车夫来说，他会发生问题，也许与上海、广东有关系，也许与几千年前圣贤的话有关系。你去问他们的境况，虽然是十分紧要，若是能够更进一步，就得向各方面去调查。

西洋现行的观察和调查的方法，总起来可以分作三样：

（一）统计　统计的功夫，是国家的。它的方法，是派人分头向各区去调查，凡出入款、生死率、教育状况等等的事体，都要仔细地调查清楚，为的是可以比较。

（二）社会测量　（Social Survey）研究社会问题的人测量社会，要像工程师测量土地一样。我们要选定一个区域，其中各方面的事体，像人口、宗教、生计、道德、家庭、卫生、生死等等，都要测量过，然后将所得的结果，来作一个详细的报告。

三十年前，英国有一位蒲斯（Booth）专作这种社会测量的功夫。他花了好些金钱，才把伦敦的社会状况调查清楚。但三十年前的调查方法，不完全的地方很多，不必说的。此后有人把他的工作继续下去，很觉得有点进步，近来美国也仿行起来了。社会测量的方法，在中国也可以仿行。好像天津，好像唐山，都可以指定他们来作一个测量的区域。我们要明白在一区里头的种种事体，才可以想法子去补救它。因为社会问题过于要紧，过于复杂，绝不能因着一家人的情形，就以为知道全体的。现在研究社会问题的人，大毛病就是把调查的功夫忽略了。要是忽略调查的功夫，整天空说"妇女解放""财产废除""教育平等"，到底有什么用处？有什么效果？

（三）综合　用统计学的方法，把所得的材料，综合起来作统计书，或把它们画在图表上头。统计的好处，是在指明地方和时间，教我们能够下比较的功夫。它不但将所有的事实画在格里，还在底下解释它们的关系和结果。我们打开图表一看，就知道某两线是常在一处的，某线常比其他的线高，某线常比其他的线低，我们将没有关系的线，先搁在一边，专研究那有关系的，常在一处的。到我们得着解释的时候，那病的地方就不难知道啦。

我前次到山西去，看见学校行一种"自省"的制度。督军每日里派人到各学校去，监察学生自省和诵读圣书。我觉得奇怪，就向人打听

一下,原来这制度是从前在军营里行的。军营里因为有了这自省的方法,就把花柳病减少到百分之六十。督军看见这个结果好,就把它用到学校去。我说这事有点错误,因为只靠花柳病减少的事实,就归功在自省上头,这样的判断是不准的。我们要看一看山西的教育在这几年的进步如何,太原的生活程度是不是高了,医术是不是进步了。这几方面,都应当用功夫去研究一下,看它们和军人的行为有什么关系,有什么影响。要是不明白种种的关系,只说是自省的功夫,恐怕这种判断有些不对。而且宜于军人的,未必宜于学生,若冒昧了,一定很危险。遗传说食指动就有东西吃,食指动和有东西吃,本来没有关系,因为食指动是没有意识的。若在食指动以后,果然有东西吃,就把这两件事联起来作一个因果,那是不对的。我们对于原因结果的判断,一定要用逻辑的方法,要合乎逻辑的判断,那事实的真原因,才能够得着。所以我们研究社会问题,要用逻辑的方法,才能够知道病的确在什么地方,和生病的原因在那里。不然,所作的功夫,不但无功,而且很危险,这是应当注意的。

二、病怎样起

我们把病的地方查出来以后,就要作第二步的功夫,就是要考察那病的来源。社会的病的来源,可以分作两面看:一方面是纵的,一方面是横的;可以说一方面是历史的,一方面是地理的;一方面是时间的,一方面是空间的。社会上各种制度,不是和时间有关系,就是和空间有关系,或是对于两方面都有关系。所以研究社会问题,最要紧的是不要把这两面忽略过去。

先从空间的关系说吧,我们拿北京的娼妓来研究,就知道它和中国各处都有关系。我们要用第一步的方法,研究那些娼妓的来路和那地方所以供给娼妓的缘故。还有本地的娼妓,多半是旗人当的。我们对于这事，就要研究北京的旗人，他们受了什么影响，致使一部分的人堕落。又要研究他们多半当私娼的，由男子方面说，他们为什么专下南方去贩女人上来？为什么不上别处去？他们为什么要在这里开娼寮？这些问题是空间的关系，我们都应当研究的。我再具体举一个例来说，南妓从前多半由苏州来，现在就从上海来，这是什么缘故呢？我们应当考究上海和苏州的光景怎样变迁，上海女工的境遇如何，他们在纱厂里作工，一天赚几十个铜元，若是女孩子，还赚不上十个。因为这个缘故，就有些人宁愿把女儿卖给人或是典给人，也不教他们到工厂里去作工。从北京这方面说，在旗人的社会里，一部分的人会堕落到一个卖淫的地步，也许是他们的生活状况变迁，也许北京现有的职业不合他们作。这两个例子就是横的、地理的、空间的关系，要把它们看清楚才好。

　　社会问题，在时间上的关系，也是很重要的。时间的关系是什么呢？比方承嗣的纳妾问题，就是一种纵的、历史的、时间的关系。古代的贵族很重嫡子，因为基业相传的关系，无论如何，嫡子一派是不能断的，大宗是不能断的。但事实上不能个个嫡子都有后，所以要想法子把他接续下去。有人想，若是没有宗子的时候，有了庶子，也比无后强得多，这就是纳妾制度的起因。到后来贵族的阶级消灭，一般人对于后嗣的观念却仍然存在。如果没有儿子，就得纳妾，为的是不让支脉断绝了。所以我说为有后而纳妾，是历史的关系。知道这个，才可以研究。孔子说得好："臣弑其君，子弑其父，非一朝一夕之故，其所由来者渐矣。"这几句话，就是指明凡事都有一种历史的原因。所以对于问题，不要把它的历史的、纵的、时间的关系忽略过去。

　　我再举一个例，办丧事的糜费，大概各位都承认是不对的。从前我住在竹竿巷的时候，在我们邻近有一所洗衣服的人家，也曾给我们洗衣服，所赚的钱是很少很少的；但是到他办丧事的时候，也免不了糜费。中国人办丧事要糜费，因为那是一种大礼。所以要从丧礼的历史去研究，才能得着其中的真相。

　　原来古代的丧服制度，有好几等。有行礼的，有不行礼的。第一等

的人，可以哭好几天，不必作什么事；因为所有的事情，都有人替他办理，所以他整天躺着，哀至就哭，哭到要用人扶才站起来。所谓"百官备，百物具，不言而事行者，扶而起"，就是说这一等的丧礼，要行这样礼，不是皇帝诸侯就不能办得到。次一等的呢？有好些事体都要差人去办，所以自己要出主意，哭的时间也就少了，起来的时候，只用杖就可以，再不必用人去扶。所谓"言而后事行者，杖而起"，就是指着这一类说的。古代的大夫、士，都是行这样的礼。下等的人，所有的事都要自己去作，可以不必行礼，只要不洗脸就够了。所以说"身自执事而后行者，面垢而已"。这几等的制度都是为古代的人而设的，所谓"礼不下庶人，刑不上大夫"，就是表明古礼尽为"士"以上的人而作，小百姓不必讲究。后来贵族阶级打破了，这种守礼的观念还留住，并且行到小百姓身上去。

现在中国一般人所行的丧礼，都是随着"四民之首"的"士"。他们守礼，本来没有"杖而后能起，扶而后能行"的光景，为行礼就存着一个形式，走路走得很稳，还要用杖。古时的丧服，本来不缝，现在的人，只在底下衩开一点，这都是表明从前的帝王、诸侯、大夫、士所行的真礼，一到小百姓用的时候，就变成假的。所以我们从历史方面去研究丧礼，就知道某礼节从前可以行，现在可以不必行；从前行了有意思，现在就没有意思。我们从这方面研究，将来要改良它，就可以减少许多阻力。

以上说的是第二步功夫。我们要知道病的起源，一部分是空间的关系，一部分是时间的关系，因为明白这两种的关系，才能够诊断那病是怎样发生的。以下我就要说开方和用药的方法。

三、怎样用药

要是我们不知道病在什么地方，不知道病从何而来，纵使用了好些药，也是没有功效的。已经知道病在那里，已经知道病的起因，还要明白药性和用药的方法。我在这里可以举出两个法子来：第一是调查。我们把问题各种特别的情形调查清楚，然后想法子去补救，这是我已经说过的，现在可以不必讲。第二是参考。我曾说用汤头来治病是不对的，因为有些地方要得着参考材料，才可以规定用药的方法。检查温度，试验大小便，分析血液，这些事体要医生才知道，若是给我作也作不来。这是什么缘故？因为我不是医生，没有拿什么大小便血液来比较或参考过的缘故。若是我们对于一个问题，不能多得参考的材料，虽然调查得很清楚，也是无用。

我们所用参考的材料，除用社会学、经济学、历史和其他的参考书以外，还要参考人家研究的结果。比方对于娼妓制度，要看人家怎样对付，结果又是怎样。禁酒问题，人家怎样立法，怎样教育，怎样鼓吹，结果都是什么。我不是说要用人所得的结果来作模范，因为那很容易陷到盲从的地步。我们只要知道在同一的问题里头，那一部分和人相同，那一部分和人不同。将各部分详细地比较，详细地参考，然后定补救的方法。

有人从美国回来，看见人家禁酒有了成效，就想摹仿人家。孰不知美国的酒害与中国的酒害很不相同，那里能够把他们的法子全然应用呢！美国的酒鬼，常常在街上打人，或是在家里打老婆；中国的醉翁，和他们是很不相同的。情形既然不同，就不能像人家用讲演或登报的方法来鼓吹。譬如要去北京的酒害，就得调查饮酒的人，看他们的酒癖和精神生计等等，有什么关系。何以酒害对于上等人不发生关系，专在下等人中间显露出来。我们拿这些事实来比较，又将别人所得的结果来参考，然后断定那用药的方法。我们能够聚集许多参考材料，把它们画成一张图表，为的是容易比较，所以参考材料不怕多，越多越好比较。

四、用药的功效

这里所谓功效，和社会学家的说法不同。社会学家不过把用药以后

的社会现象记出来，此外可以不计较。社会改良家，一说就要自己动手去作，他所说的方法，一定要合乎实用才成。天下有许多好事，给好人弄坏了，这缘故是因为他有好良心，却没有好方法，所以常常偾事。社会改良家的失败，也是由于不去研究补救的方法而来。现在西洋所用的方法很多，我就将几样可以供我们参考的举出来：

（一）公开事业 有许多问题，一到公开的时候，那问题已是解决一大半了。公开的意思，就是把那问题的真相公布出来，教大家都能了解。社会改良家的职分，就是要把社会的秘密，社会的那黑幕揭开。中国现在有许多黑幕书籍，他说是黑幕，其实里头一点真事也没有。不过是一班坏人，用些枝枝节节的方法，鼓吹人去作坏事罢了。这里所说的公开，自然不是和那黑幕书一样。比方北京娼妓的情形，这里的人到南方去买女子，或是用几十块钱去典回来；到北京以后，所有的杂费、器具、房屋都不能不自己预备。作妓女的到这时候就要借钱，但一借就是四分利息，纵使个个月都赚钱，也不够还利息的。娼妓因为经济给这班人拿住，就不能挣脱，只有俯首下心去干那丑生活。久而久之，也就不觉得痛苦了。遇着这种情形，若是调查社会的人把它发表出来，教人人明白黑幕里的勾当；以后有机会，再加上政治的权力把那黑幕除掉，那问题就完全解决了。

（二）模范生活 现在有许多人主张大学移殖事业。这种事业，英文叫作 Social Settlement。翻出来就是"社会的殖民地"。但我以为翻作"贫民区域居留地"更好。移殖事业是怎样的呢？比方这里有许多大学的学生，暑假的时候，不上西山去，不到北戴河去，结几个同志到城市中极贫穷的区域去住，在那里教一般的贫民念书、游戏和作工等日用的常识。贫民得着大学生和他们住在一块，就渐渐地受感化，因此可以减掉许多困难的问题。我们作学生的一定要牺牲一点工夫，去作这模范生活，因为我们对于这事，不但要宣传，而且要尽力去实行。

（三）社会的立法（Social Legislation） 社会的立法，就是用社会的权力，教政府立一种好的法度。这事我们还不配讲，因为有些地方，不能由下面作上来,还要由上面作下去。我们在唐山看见一种包工制度,一个工人的工钱,本来是一元,但是工头都包去招些七毛的,得七毛的也不作工,包给六毛的,得六毛的就去招一班人来,住在一个"乌窑"里头。他们的工钱,都给那得六毛的、得七毛的、得一元的工头分散了。他们一天的生活,只靠着五个铜子,要他们出来组织工党,是不成功的。欧美各国的工人,都能要求政府立法,因为好些事是他们自己的能力所办不到的,好像身体损伤保险、生命保险、子女的保护和工作时间的规定,都是要靠社会的立法才能办得到的。上海的女子在工厂里作工,只能赚九个铜子,教他们自己去要求以上那些事,自然办不到,所以要靠着社会替他们设法。我们由历史方面看,国家是一种最有用的工具。用的好就可以替社会造福,社会改良家一定要利用它,因为它可以帮助我们作好些事。

以上三种方法,不过是略略地举一些例。此外还有许多方法,因为不大合我们的采用,所以我不讲。

结　　论

我已经把研究社会问题四层的功夫讲完了。总结起来,可以分作两面:一面是研究的人,自己应当动手去作,不要整天待在家里,只会空口说白话;第二面是要多得参考的材料,从前就是因为没有参考材料,所以才发生问题。现在可就不然,所以我很盼望各位一面要作研究的学者,一面要作改良社会的实行家。

中国历史的一个看法

历史可有种种的看法,有唯心的,唯物的,唯人的,唯英雄的……各种看法。我现在对于中国历史的看法,是从文学方法的,文学的名词方面的,是要把它当作英雄传,英雄诗,英雄歌,一幕英雄剧,而且是一幕英雄悲剧来看。

民族主义是爱国的思想,英国有名的先哲曾说过:"一个国家要觉得它可爱时,是要看这个国家在历史上是否有可爱之点。"中国立国五千年,时时有西北的蛮族——匈奴、鲜卑……不断地侵入,可说是无时能够自主的;鸦片战争又经过百年,而更有最近空前的危急,在此不断的不光荣的失败历史中,有无光荣之点,它的失败是否可以原谅,在此失败当中,是否可得一教训。

这一出五千年的英雄悲剧,我们看见我们的老祖宗继续和环境奋斗,经过了种种失败与成功,在此连台戏中,有时叫我们高兴,有时叫我们着急,有时叫我们伤心叹气,有时叫我们掉泪悲泣,有时又叫我们看见一线光明,一线希望,一点安慰,有时又失败了。有时又小成功了,有时竟大失败了。这戏中的主人翁,是一位老英雄——中华——它的一生是长期的奋斗,吃尽了种种辛苦,经了种种磨难,好像姜子牙的三十六路伐西岐,刚刚平了一路,又来了一路;又好像唐三藏西天取经,经过了八十一大难,刚脱离了一难,又遭一难似的。这样继续不断奋斗,所以是一篇英雄剧,磨难太多,失败太惨,所以是一篇悲剧。

本来在中国的文字中——戏剧中、小说中,悲剧作品很少,即如《红楼梦》一书,原是一个悲剧,而好事者偏要作些圆梦、续梦、复梦等出来，硬要将林黛玉从棺材里拿起来和贾宝玉团圆，而认为以前的不满意，这真不知何故，或者他们觉得人类生活本来是悲剧的，历史是悲剧的，因此却在理想的文学中，故意来作一段团圆的喜剧。

在这老英雄悲剧中，我们把它分作几个剧目，先说到剧中的主人，主人是姓中名华——老中华，已如上述，舞台是"中国"，是一座破碎的舞台——穷中国，老天给我们祖宗的，实在不是地大物博，而是一块很穷的地方，金银矿是没有的，除东北黑龙江和西南的云贵一部分外，都是要用丝茶到外国去换的，煤铁古代是不需要的，土地虽称广阔，然可耕之地不过百分之二十，而丝毫无用的地却有三分之一，所以我们的祖宗生下来，就是在困难中。

这剧的开始，要算商周，以前的不讲，据安阳发掘出来的成绩，商代民族活动区域，只有河南、山东、安徽的北部，河北、山西南部的一块，也许到辽宁一部。他们在此建设文化时，北狄、南蛮不断地混入，民族成了复杂的民族。在此环境之下，他们居然能唱一出大戏，这是一件很了不得的事情。我们现在撇开了"跳加官"一类开台戏，专看后面的几幕大戏。

第一幕　老英雄建立大帝国。第二幕　老英雄受困两魔王。第三幕　老英雄死里逃生。第四幕　老英雄裹创奋斗。第五幕老英雄病中困斗。

第一幕　老英雄建立大帝国

中国有历史的时期自商周始，驰域限于鲁豫，已如上述。在商代社会中迷信很发达，什么事情都问鬼，都要卜，如打猎、战争、祭祀、出门……事无大小，都要把龟甲或牛骨烧灰，看它的龟纹以定吉凶。在此结果，而发明了龟甲、牛骨原始象形的文字，这文字是很笨的图画，全不能表达抽象的意思，只能勉强记几个物事名词而已。在这正在建设文化的时候,西方的蛮族——周,侵犯过来了。它具强悍的天性,有农业的发明,不久把那很爱喝酒的、敬鬼的、文化较高的殷民族征服了。这一来,上面的——政治方面——是属于周民族,下面的就是属于殷民族,二民族不断地奋斗:在上面的周民族很难征服下面的殷民族。孔子虽是殷人(宋国),至此很想建设一个现代文化,故曰"吾从周"。而周时,也有人见到两文化接触,致有民族之冲突,所以东方(淮水流域)派了周公去治理,南方(汉水流域),派了召公去治理,封建的基础,即于此时建设。但是北狄、南蛮在此政治之下经了长期的斗争,才将他们的无数小国家征服,把他们的文化同化,以后才成七个大国家,不久遂成一个大帝国。

至于文字方面,也是从龟甲上的、牛骨上的不达意的文字,经过充分的奋斗,而变为后代的文字。文学方面、哲学方面、历史方面,都得着可以达意的记载,这是一件很不容易的事情。

在周朝的时候,许多南蛮要想侵到北方来,北边的犬戎也要侵到南部去,酝酿几百年,犬戎居然占据了周地,再经几百年,南方也成了舞台的部分。

此时的建设期中,产生了一个"儒"的阶级。儒本是亡国的俘虏——遗老,他本是贵族阶级,是文化的保存者;亡国以后,他只得和人家打打官司,写写字,看看地,记记账,靠这类小本领混碗饭吃而已(根据《荀子》的《非十二子》篇)。这班人——"儒"一出来,世界为之大变,因为他们是不抵抗者,是儒夫。我们从字义看,凡是和儒字同旁的字眼,都是弱的意思,如需(耎)字加车旁是软弱的顿(软)字,加心旁是懦字,加子旁是孺字,是小孩子。他们是唱文戏的,但是力量很大,因为他们是文化传播者,是思想界,老子后世称他为道家。但他正是"儒"的阶级中之代表,他的哲学是儒的哲学,他的书中常把水打譬喻,因为水是最柔弱的,最不抵抗的,这就是儒的本身。他们一出,凡是唱武戏的,至此跟着唱起文戏来了。幸而在此当中,出来一个新派,这就是孔子。他的确不能谓之儒者,就是儒者也是"外江派。他的主张是"杀身成仁"。他说:"志士成仁,有杀身以成仁,无求生以害仁。"又说:"士不可以不弘毅,任重而道远,人以为己任,死而后已。"这完全和老子相反。老子是信天的,主自然的,而新派孔子,是讲要作人的,且要智仁勇三者都发达。他是奋斗的,"知其不可而为之",这就是他的精神。新派唱的虽也是文戏,但他们以"有教无类"打破一切阶段,所以后来产生孟子、荀子、弟子李斯、韩非,韩非虽然在政治上失败,而李斯却成了大功,造成了一个大帝国。(第一幕完)

第二幕 老英雄受困两魔王

不久汉朝兴起来了,一班杀猪的、屠狗的、当衙役的……起来建设了一个四百年的帝国。他们可说得上是有为者,如果没有他们的奋斗,则决不会有这四百年的帝国。但是基础究未稳固,而两个魔王就告来临!

第一个魔王——野蛮民族侵入。在汉朝崩溃的时候,夷狄——羌、匈奴、鲜卑都起来,将中国北部完全占领(公元300—600年),造成江左偏安之局。

第二个魔王——印度文化输入。前一个魔王来临,使我们的生活野蛮化,后一个魔王来临,就是使我们的宗教非人化。这印度文化侵略过来,在北面是自中央亚细亚而进,在南方是由海道而入,两路夹攻,整个的将中国文化征服。

原来中国儒家的学说是要宗亲——"孝",要不亏其体,因为"身体发肤,受之父母,不敢毁伤",将个人看得很重。而印度文化一来呢,它是"一切皆空",根本不要作人,要作和尚,作罗汉——要"跳出三界",将身体作牺牲!如烧手、烧臂、烧全身——人蜡烛,以献贡于药王师。这风气当时轰动了全国,自王公以至于庶人,同时迎佛

骨——假造的骨头,也照样的轰动,这简直是将中国的文化完全野蛮化!非人化!(第二幕完)

第三幕　老英雄死里逃生

这三百年中——隋、唐时代是很艰难的奋斗,先把北方的野蛮民族来同化它,恢复了人的生活。在思想方面,将从前的智识,解放出来;在文学方面,充满了人间的乐趣,人的可爱,肉的可爱,极主张享乐主义,这于杜甫和白居易的诗中都可以看得出,故这次的文化可说是人的文化。再在宗教方面,发生了革命,出来了一个"禅"!禅就是站在佛的立场上以打倒佛的,主张无法无佛,"佛法在我",而打倒一切的宗教障、仪式障、文字障,这都成功了。所以建设第二次帝国,建设人的文化和宗教革命,是老英雄死里逃生中三件大事实。(第三幕完)

第四幕　老英雄裹创奋斗

老英雄正在建设第三次文化的时候,北方的契丹、女真、金、元继续地侵过来了。这时老英雄已经是受了伤——精神上受了伤(可说是中了精神上的鸦片毒,因为印度有两种鸦片输到中国,一是精神上的鸦片烟——佛,一是真鸦片),受了千年的佛化,所以此时是裹创奋斗,然而竟也建立第三次大帝国——宋帝国。全国虽是已告统一,但身体究未复元,而仍然继续人的文化,推翻非人的文化(这段历史自汉至明,中国和欧洲人相同,宗教革命也是一样)。范文正公的"先天下之忧而忧,后天下之乐而乐",和王荆公的变法,正与前"任重而道远"的学说相符合。

在唐代以前,北魏曾经辟过佛,反对过外国的文化,禁止胡服胡语即其例，但未见成功。而在唐代辟佛的，如韩愈，他曾说过"人其人，火其书，庐其居"三个大标语。这风气虽也行过几十年，但不久又恢复原状。然在这一次，却用了一种软功夫来抵制这非人的文化。本来是要以"人的政治"、"人的法律"、"人的财政"来抗住它的，但还怕药性过猛，病人受纳不起；所以司马光、二程等，主张无为，创设"新的哲学"、"新的人生观"，在破书堆中找到一本一千七百几十个字的《大学》来打倒十二部《大佛经》，将此书中的"格物"、"致知"、"正心"、"诚意"、"修身"、"齐家"、"治国"、"平天下"这一套，来创造新的人的教育、新的哲学、新的人生观，这实在是老英雄裹创奋斗中的一个壮举。但到了蒙古一兴起，老英雄已筋疲力竭，实在不能抵抗了！（第四幕完）

第五幕　老英雄病中困斗

这位老英雄到明朝已经是由受创而得病了，它的病状呢，一是缠足，我们晓得在唐朝被称的小脚是六寸，到这时是三寸了，实在是可惊人！二是八股文章，三是鸦片由印度输入，这三种东西，使老英雄内外都得病症。

再有一宗，就是从前王荆公的秘诀已被人摒弃了。本来他的秘诀一是"有为"，一是"向外"。但一班的习静者，他们要将喜怒哀乐等，于静坐中思之，结果是无为，是无生气，而不能不使这老英雄在病中困斗。

清代的天下居然有二百余年，这实是程朱学说——君臣观念所致，因为此时的民族观念抵不住君臣的名分观念。不过老英雄在此当中，而仍有其成绩在，就是东北和西南的开辟，推广它的老文化。湖南在几十年前，在政治上占有极大势力，广东、广西于此时有学术上的大贡献，这都是老英雄在病中的功绩。它虽然在政治上失地位，然而在学术上却

发生一种"实事求是"的精神——科学的精神,而成就了一种所谓的"汉学"。这种新的学术,是不主静而主动的,它的哲学是排除思想而求考据。考据一学发生,金石、历史、音韵,各方面都发达。顾亭林以一百六十二个证据,来证明"服"字读"逼"字音,这实在具有科学之精神。不过在建设这"人的学术"当中,老英雄已经是老了,病了!

尾　声

这老英雄的悲剧,一直到现在,仍是在奋斗中。它是从奋斗中滚爬出来,建设了人的文化,同化了许多蛮族,平了许多外患,同化了非人的文化,从一千余年奋斗到如今,实在是不易呀!这种的失败,可说是光荣的失败!在欧洲曾经和我们一样,欧洲过去的光荣,我们都具备着,但是欧洲毕竟是成功。这种原因,我认为我们是比它少了两样东西,就是少了一个大的和附带一个小的,大的是科学,小的是工业。我们素来是缺乏科学,文治教育看得太重。我们现在把孔子和其同时的亚里士多德、柏拉图来比一比,柏拉图是懂得数学的,"不懂数学的不要到他门下来";亚里士多德同时是研究植物的,孔子较之,却未必然吧?与孟子同时的欧几里得,他的几何至今沿用,孟子未尝能如此吧?在清代讲汉学的时候,虽说是有科学的精神,却非加利莱用望远镜看天文,用显微镜看微菌,以及牛顿发明地心吸力可比,所以中西的不同,不自今日始。我们既明白了这个教训,比欧洲所缺乏的是什么?我们知道了,我们的努力就有了目标。我们这老英雄是奋斗的,希望我们以后给它一种奋斗的工具,那末,或者这出悲壮的英雄悲剧,能够成为一纯粹的英雄剧。

谈谈中国政治思想

哲学的范围日见狭窄，哲学问题多半被科学所吸收。现在科学昌明，哲学只有宣告破产，我也不愿再在这个铺子里作伙计。不过哲学史是值得研究的，有许多制度与思想的关系甚大；有许多制度，曾因思想家辩护还能存在。所谓思想史者，实包括社会、经济、哲学、宗教等问题。有些制度，思想虽然过去了，我们还是要研究它的历史上的价值。政治思想与广义的哲学思想很难分开，没有一个政治思想家不是哲学家。如古之柏拉图，今之弥勒，他们讲伦理问题，同时亦讲政治问题。又如卢梭是哲学家，同时也是政治学家。中国亦然，老子、孟子、程、朱皆费了许多时间研究社会政治问题。《史记》最后一篇《自序》中，引其父司马谈《论六家》要旨，开首一句话就是："夫阴阳、儒、墨、名、法、道德，皆务为治者也。"不过他们的观点不同，有看得清楚，有看得不清楚；有彻底，有不彻底。古代思想，没有不是政治思想的，中古、近世亦是如此。兹举一二例以明之。政治学上有讨论"名"、"实"问题者，如孔子是名，孔子其人是实。一为个体，一为类名。看为"名"，则重视国家、社会；看为实，则重视个人。有的哲学家重视名过于实，一切名都有真实的存在，抽象较实体更为完整，重要的理想皆真实存在。唯名论者以为名不实在，"实"用不着名。唯名论者一定将制度、礼教看得重，个人看得轻。唯实论者一定是革命家、批评家、怀疑派，由其哲学思想可推知其主张，由其政治主张亦可推知其玄学立场，屡试屡验，百发百中。

今天来谈中国政治思想，不能讲其全部，只能提出几个重要问题讨

论。其中有些精彩,亦有弱点。这几个问题,从古到今皆是一贯的:一、天与人;二、本与末;三、法与人;四、君与民。

一、天与人 天是自然,自然是一方面,人又是一方面。此为古今重要问题。自然与人,无为与有为,皆是此类问题。如老子根本区别天与人,将天道视作自然。所谓自然,时时在变动,无为而无所不为,自然完全不顾一切,照着一定方向进行,自然会作到某种状况。孔派也相信天道,如说秋去冬来,但春耕秋获,即为人事。此种区别,自孔、老以至庄子,更为明显。庄子整个地听天,如说:"安知人之非天也,安知天之非人也。"什么自由意志,安知不是天命所注定,胡为乎?胡不为乎?听其将自化。每个思想,都有它的黄金时代,前代为新的,后代即为旧的;前代兴小脚,今日以大脚为时髦。甚至连制度、真理也随着这些思想变了,这都是自然的。又如说:"听天由命。"时候到了,自然会变。荀子出,思想一变,他说"天性有常",故君子求人而不求天,只有人才靠得住,天都靠不住,天生都是恶的,只有人才能改好。这是重人的思想,故圣人不求知天,此与培根征服天道思想相同。后来韩非、李斯即承继此种思想。无为与有为的思想,两千年未尝脱离。汉高祖得天下,军人主政。当时有大将曹参者,被派为齐王相,有黄老之徒,教以治国之道在无为,听其自然,结果齐国大治。后曹参为相,亦采此种政策,直到陈平,皆是一贯思想。文帝继位,亦主无为,国家一切都要放任,只减轻租税。七十年间社会大富,建设四百年汉帝国。故无为的结果,不扰民自然生产发展,以至有后来的武功。这个无为的政治思想颇为儒家所不满,贾谊作《治安策》,力主有为,无为不会治安,要治安就要干。《治安策》的精神不在痛哭流涕,而是有为的思想反驳无为的思想。以后晁错、董仲舒继贾谊的有为政策,造出许多迷信,压迫无知识君主,才造成了一点社会改革,干涉商人,取干涉政治。再看宋朝王安石变法,真正的意义,实为两派斗争:一为革新派,一为守旧派。司马光主张听其自然,不主张改革;王安石主张以人的聪明才智作政治的改革。从古至今,此种争论,不一而足。无为有为,皆有其历史的背景。

二、本与末 本与末为中国历史上一重要问题。前人以为农是本，商是末。商以资本牟利，古人都反对，大家以商为不劳而获之寄生阶级。正统思想总是重农抑商，只有极少的人替商人辩护。如太史公在《货殖传》上说商是通有无的，并不是不劳而获的，作商人应具备智、仁、勇三大美德。商人是不能干涉的，应听其自然。这很像18世纪之重商主义。然今日的思想背景仍是重农抑商。我人传统的思想都是反对重利盘剥的商人，所以觉得均产很公道。

三、法与人 古代主张人治，孔子时始主张法治。如《淮南子》、《吕氏春秋》皆以统治阶级应守法，可以作到无治无为，作成虚君宪政。这一点《胡适文存》中言之极详，讲法治的政治背景为君主世袭。当时对君主世袭有两种讲法：有梦想禅位代替君主世袭者，有以法治为宗旨者。后者劝君主修道养神，无为守法，君主为虚君。如"重为善若重为暴"，即完全守法思想，使君主作一个"师"，端坐吉祥而受福，作虚君法治，避免君主世袭的流弊。《吕氏春秋》的价值诚然大，然结果演成专制。虚君法治的理论诚然好，但君主要有为有什么办法？他不用李斯而用赵高，有什么办法？故中国虽有虚君法治的理论，却不能贯彻。西洋因有贵族势力，处于君主的对抗地位。日本则有六百年虚君立宪的习惯，他们都有能力——民权——作到，而我们则缺乏此种能力。

四、君与民 据我个人观察，中国有重民思想，有民为邦本思想，但无民权思想。孟子极重个人，个人皆性善，又倡民为贵之论，但从未说民有权，只承认人民有革命权。孟子以后，则更没有谈民权的。盖民权建立在个人主义上，生命是神圣的，个人有价值才有权利自由。中国人的个人主义思想太不发达，古代只有少数思想家注重修身，如战国时之杨朱。但此种思想已经失掉了，只有《吕氏春秋》保存了一点。他以为生命最重要，生命贵于一切，提倡个人的重要，个人情欲应享受充分的发展；天下莫贵于身体，故人生应对于身体有相当的满足。然个人主义思想常为正统思想所抑压。自孟子主张人性善、民为贵以后，宋代

理学发达，亦主张人性善，理为人人所共有者，人人皆得天理之一部，这也是抬高个人的学说。王阳明主张良知良能的学说，人人皆有是非的良知。程朱理学的结果，乃有正义与权威的抗争。吕坤以天下最可贵者为理与势，而理更贵于势，有理可与君主争辩于庙堂之上，万万不可屈于势。如明之东林党，不怕死，不怕充军，民权思想始稍稍发达。故提倡个人，重身体，实为民权思想的基础。惜此思想始终未能普遍，此种思想只限于士大夫阶级。如说：士，可杀而不可辱；而不说：人，可杀而不可辱。可见此种思想未推及匹夫匹妇。

中国政治思想史，应作如上看法。中国政治制度皆由上述几种观念作背景。以上几点，也可以解释政治史及政治制度史。

中国古代政治思想史的一个看法

我很感觉到不安。在大陆上的时候,我也常常替找我演讲的机构、团体增加许多麻烦:不是打碎玻璃窗,便是挤破桌椅。所以后来差不多二三十年当中,我总避免演讲。像在北平,我从来没有公开演讲过;只有过一次,也损坏了人家的椅窗。在上海有一次在八仙桥青年会大礼堂公开演讲,结果也增加他们不少损害。所以以后我只要能够避免公开演讲,就尽量避免。今天在台湾大学因为预先约定是几个学会邀约的学术演讲,相信不会太拥挤。但今天的情形——主席沈先生已向各位道歉——我觉得很不安。我希望今天不会讲得太长,而使诸位感觉得太不舒服。

那天台湾大学三个学会问我讲什么题目,当时我就说讲"中国古代政治思想史的一个看法",而报纸上把下面"的一个看法"丢掉了。如果要我讲"中国古代政治思想史",这个范围似嫌太大,所以我今天还只能讲"中国古代政治思想史的一个看法"。

今年是我的母校哥伦比亚大学创立二百周年纪念。他们在去年准备时,就决定要举行二百周年纪念的典礼。典礼节目中的一部分,有十三个讲演。这十三个讲演广播到全美洲;同时将广播录音送到全世界,凡是有哥伦比亚大学毕业生的地方都要广播。所以这十三个广播演讲,在去年十一二月间就已录音;全部总题目叫作"人类求知的权利"。这里边又分作好几个部分:第一部分(第一至第四个演讲)是讲"人类对于人的见解";第二部分(第五至第八个演讲)是讲"人类对于政治社会的见解";第三部分(第九至第十三个演讲)是讲"近代自由制度的

演变"。他们要我担任第六个演讲,也就是第五至第八个演讲"人类对于政治社会的见解"中的一部分。我担任的题目是"亚洲古代威权与自由的冲突"。所谓亚洲古代,当然要把巴比伦、波斯、印度古代同中国古代都包括在内。但限定每个演讲只有二十五分钟录音。这样大的题目,只限定二十五分钟的演讲,使我得到一个很大的经验与教训。因为这个题目,要从亚洲西部到东部,讲好几百年甚至一两千年古代亚洲的政治思想史,讲起来是很费时的。因此我先把这些国家约略地研究了一下;但研究结果,认为限定二十五分钟时间,无论如何是不够的。我觉得限定二十五分钟时间的演讲,只能限于中国;同时对于这些亚洲西部古代国家关系政治、宗教、社会、哲学等方面的文献甚少;所以最后我自己只选择了中国古代,并且对于"中国古代政治思想史"这个题目又不能不加以限制。同时我因为这是一个很难得很重要的机会,所以把中国古代政治思想的几种观念——威权与自由冲突的观念——特别提出四点(也可说是四件大事)来讲。结果就成为二十五分钟的演讲。那四件大事呢?

第一,是无政府的抗议,以老子为代表。这是对于太多的政府,太多的忌讳,太多的管理,太多的统治的一种抗议。这种中国古代的政治思想,能在世界上占有一个很独立的、比较有创见的地位。这一次强迫我花了四十多天时间,来预备一个二十五分钟的演讲;经我仔细地加以研究,感到中国政治思想在世界上有一个最大的、最有创见的贡献,恐怕就是我们的第一位政治思想家——老子——的主张无政府主义。他对政府抗议,认为政府应该学"天道"。"天道"是什么呢?"天道"就是无为而无不为。这可说是一个很重要的观念。他认为用不着政府;如其有政府,最好是无为、放任、不干涉,这是一种无政府主义的政治理想:有政府等于没有政府;如果非要有政府不可,就是无为而治。所以第一件大事,就是中国政治思想史上第一个放大炮的——老子的无政府主义。他的哲学学说,可说是无政府的抗议。

第二件大事,是孔子、孟子一班人提倡的一种自由主义的教育哲学。孔子与孟子首先揭橥这种运动。后世所谓"道家"（其实中国古代并没有"道家"的名词；此是后话，不在此论例），也可以说是这个自由主义运动的一部分。后来的庄子、杨朱，都是承袭这种学说的。这种所谓个人主义、自由主义的教育哲学和个人主义的起来，是由于他们把人看得特别重，认为个人有个人的尊严。《论语》中的"不降其志，不辱其身"，就是这个道理。个人主义、自由主义的教育哲学，教育人参加政治，参加社会；这种人要有一种人格的尊严，要自己感觉到自己有一种使命，不能随便忽略他自己。这个个人主义、自由主义的教育哲学，是第二件值得我们纪念的大事。

第三件大事，可算是中国古代极权政治的起来，也就是集体主义（极权主义）的起来。在这个期间，墨子"上同"的思想（这个"上"字，平常是用高尚的"尚"字，其实是上下的"上"字），就是下面一切要上同，所谓"上同而不下比者"——就是一种极权主义。以现在的新名词说，就叫"民主集权"。墨子的这种理论，影响到纪元前4世纪出来了一个怪人——商鞅。他在西方的秦国，实行这种"集权政治"；后来商鞅被清算死了，但这种极权制度还是存在，而且在一百年之内，把当时所谓天下居然打平，用武力来统一中国，建立所谓"秦帝国"。帝国成立以后，极权制度仍继续存在，焚书坑儒，毁灭文献，禁止私家教育。这就是第三件大事。所谓极权主义的哲学思想：极权国家不但起来了，而且是大成功。

第四件大事是，这个极权国家的打倒，无为政治的试行。秦王政统一天下之后，称他自己为秦始皇，以后他的儿子为二世，孙子为三世，以至于十世、百世、千世、万世、无穷世。殊不知非特没有到万世、千世、百世，所谓"秦帝国"，只到了二世就完了。这一个以最可怕的武力打成功的极权国家，不到十五年就倒下去了。第一个"秦帝国"没有安定，第二个帝国的汉朝却安定了。什么力量使它安定的呢？在我个人的看法，就要回到我说的第一件大事。我以为这是那个无政府主义、无为的政治哲学思想来使它安定的。秦始皇的帝国只有十五年；汉朝的

帝国有四百二十年。为什么那个帝国站不住而这个帝国能安定呢?最大的原因,就是汉朝的开国领袖能运用几百年以前老子的无为的政治哲学。汉朝头上七十年工夫,就是采用了这种无为而治的哲学。秦是以有为极权而亡;而汉朝以有意的、自觉的实行无为政治,大汉帝国居然能安定四百二十年之久。不但安定了四百二十年,可说两千年来到现在。今天我们自己称"汉人",这个"汉"字就是汉朝统治四百二十年后留给我们的。在汉朝以前,只称齐人、楚人、卫人,没有"中国人"这个名词。汉朝的四百二十年,可说是规定了以后两千多年政治的规模,就是无为而治这个观念。这可说是两千多年前祖先留下来的无穷恩惠。这个大帝国,没有军备,没有治安警察,也没有特务,租税很轻(讲到这里,使我想起我在小时,曾从安徽南部经过浙江到上海。到了杭州,第一天才看到警察;以前走了七天七夜并没有看到一个警察或士兵,路上一样很太平)。所以第四件大事,可说是打倒极权帝国而建立一个比较安定的国家;拿以前提倡了而没有实行的无为而治的政治哲学,来安定四百二十年大汉帝国,安定几千年来中国的政治。

现在我就这四点来姑妄言之,诸位姑妄听之。

第一件大事是老子的无为主义。最近几十年来,我的许多朋友,从梁任公先生到钱穆、顾颉刚、冯友兰诸先生,都说老子这个人恐怕靠不住,《老子》这部书也恐怕靠不住。他们主张要把《老子》这部书挪后二三百年。关于这个问题,我也发表过一篇文章,批评这几位先生考定老子年代的方法。我指出他们提出来的证据都站不住(现在台湾版《胡适文存》第四集第二篇,就是讨论考证老子这个人的年代和《老子》这本书的年代的)。但这二三十年来中国学者的提倡,居然影响到外国学者。外国学者也在对老子的年代发生怀疑。你看西洋最近出版的几种书,差不多老子的名字都不提了。在我个人的看法,这个问题很复杂;如果将来有机会,可再和各位详细地讨论。今天简单地说,我觉得老子这个人的年代和《老子》这本书的年代,照现在的材料与根据来说,还是不必更动。老子这个人恐怕要比孔子大二三十岁;他是孔子的先生。所谓"孔子问礼于老聃"是大家所不否认的；同时在《礼记·曾子问》中有明白的记载。那时孔子作老子的学徒，在我那篇很长的文章《说儒》里，老子是"儒"，孔子也是"儒"。"儒"的职业是替人家主持丧礼、葬礼、祭礼的。有人认为"儒"是到孔子时才有的，这是错误的观念。我为了一个"儒"字，写了五万多字的文章；我的看法，凡是"儒"，根据《檀弓》里所说，就是替人家主持婚丧祭祀的赞礼的。现在大家似乎都看不起这种赞礼。其实你要是看看基督教和回教，如基督教的牧师，回教的阿訇，他们也是替人家主持婚丧祭祀的。在古代两千五百年前，"儒"也是一种职业。在《礼记·曾子问》中都讲到孔子的大弟子和孔子的老师都是替人家"相"丧的。《礼记·曾子问》中记：孔子自说有一天跟着老子替人家主持丧礼，出丧到半路上，遇到日蚀；老子就发命令，要大家把棺材停在路旁，等到日蚀过去后再往前抬。下面老子又解释为什么送丧时遇到日蚀应该等到太阳恢复后再往前抬。各位先生想一想：送丧碰到日蚀，这是很少见的事；而孔子跟着老子为人家主持丧礼，在路上遇见日蚀，也是一件很少见的事，记载的人把这话记载下来，我相信这是不致于会假的。从前阎百诗考据老子到周去问礼到底是那一年，就是根据这段史实来断定的。同时《檀弓》并不是一本侮蔑孔子的书，这是一本儒家的书。孔子的学生如曾子等，都是替人家送丧的。替人家送丧是当时的一种吃饭工具，是一种正当的职业。至于《老子》这部书，约有五千字左右，里边有四五个真正有创造的基本思想；后来也没有人能有这样透辟的观念。这部只有五千字左右的书，在我个人看起来，从文字上来看，我们也没有理由把它放得太晚。在思想上他的好几个观念，可说是影响了孔子。譬如老子说"无为"，孔子受其影响甚大。如《论语》中的"无为而治者，其舜也欤！""为政以德，譬如北辰，居其所而众星拱之！"这些话都是受了老子"无为而治"的影响的。还有孔子说，我话说得太多，我要"无言"。这也是老子的思想。孔子说："天何言哉？四时行焉，百物生焉，天何言哉？"这就是自然主义的哲学。我们考证一部书的真假，从一个

人的著作中考据另一个人,并不是我一个人的办法。譬如希腊古代在哲学方面有许多著作,后来的人考据那几部著作是真的,那几部著作是假的,用什么标准呢?文字当然是一种标准,但是重要的,就是如果要辨别柏拉图著作的真伪,须看柏拉图的学生亚利斯多德是否曾经引过他教师的话,或者看亚利斯多德是否曾提到柏拉图某一部书里的话。这是考据的一种方法。我们再看孔子说的"以德报怨",这完全是根据老子所说的"报怨以德"。诸如此类的话多得很,如"以能问于不能,以多问于寡,有若无,实若虚,犯而不校"等,都可以说是老子的基本观念;尤其"犯而不校",就是老子提倡的一个很基本的观念,所谓"不争主义"亦即是"不抵抗主义"(我就是犯了这个毛病:说不考据,现在又谈考据了。不过我现在说这些话,只是替老子申申冤而已)。

老子的主张,所谓无政府的抗议,是中国政治思想史上第一件大事。他的抗议很多。大家总以为老子是一位拱起手来不说话的好好先生,绝对不像个革命党、无政府党。我们不能太污蔑他。你只要看他的书,就知道老子不是好好先生。他在那里抗议,对于当时的政治和社会抗议。他说:"民之饥,以其上食税之多,是以饥。民之难治,以其上之有为,是以难治。民之轻死,以其求生之厚,是以轻死。""民不畏死,奈何以死惧之。""天下多忌讳,而民弥贫。民多利器,国家滋昏。人多伎巧,奇物滋起。法令滋彰,盗贼多有。"这就是提倡无政府主义的老祖宗对于当时政治和社会管制太多、统制太多、政府太多的一个抗议。所以大家不要以为老子是一位什么事都不管的好好先生、太上老君,他是一位对于政治和社会不满而要提出抗议的革命党。而且他仅仅抗议还不够,他还提出一种政治基本哲学。就是说,在世界政治思想史上,中国在两千五百年以前产生了一种放任主义的政治哲学,无为而治的政治哲学,不干涉主义的政治哲学。在西方恐怕因为直接间接地受了中国这种政治思想的影响,到了18世纪才有不干涉政治思想哲学的起来。近代的民主政治,最初的一炮就是对于政府的一个抗议:不要政府,要把政府的力量减轻到最低,最好作到无为而治。我想全世界人士不会否认：在全世界的政治思想史上，中国提出无为而治的思想、不干涉主义，这个政治哲学，比任何一个国家要早两千三百年。这是很重要的一件大事。老子说：我们不要自己靠自己的聪明；我们要学学天，学学大自然。"自然"这两个字怎样解释呢？"然"是如此，"自然"就是自己如此。天地间的万物，都不是人造出来的，也不是由玉皇大帝造一个男的再造一个女的，而都是无为，都是自己如此。一切的花，不管红黄蓝白各种颜色的花，绝不是一个万能的上帝涂上了各种颜色才这样的，都是自己如此。也就是老子的所谓"天道"，孔子所谓"天何言哉？四时行焉，百物生焉，天何言哉？""天道"就是无为，无为而无不为。老子说："故圣人云：我无为而民自化；我好静而民自正；我无事而民自富；我无欲而民自朴。"这就是无为的政治。而老子最有名的一句话，就是"太上，下知有之"。就是说：最高的政府，使下面的人仅仅知道这个政府。另外一个本子把这句话多加了一个字，作"太上，下不知有之"。就是说：上面有个政府，下面的人民还不知道有政府的存在。下面又说："其次，亲之誉之；其次，畏之；其次，侮之。"就是，比较次一等的政府，人民亲近它，称誉它；第三等政府，人民畏惧它；第四等政府，人民看不起它。所以第一句"太上，下知有之"六个字是很了不得的，是人类政治思想史上最早有这个观念。这种政治思想，比世界上任何一个有思想文化的民族都还要早；同时，由这个观念而影响到我们后来的思想。所以我们中国在政治思想上舍不得把《老子》这部书抹煞掉，我们历史上第一个政治思想家，就是提倡无政府主义、不干涉主义的老子。同时，我颇疑心18世纪的欧洲哲学家已经有老子的书的拉丁文翻译本，因为那时他们似乎已经受到老子学说的影响。

　　第二件大事是孔子以下的自由思想，个人主义。孔子与老子不同，孔子是教育家，而老子反对文化，认为五音、五色、五味的文化是太复杂了，最好连车船等机器都不用，文字也不必要。这种反文化的观念，在欧洲18世纪时的卢梭、19世纪时的托尔斯泰也曾提出；而老子的反

文化观念要比任何世界上有文化的民族为早。老子不但反文化,而且反教育,认为文明是代表人民的堕落。而孔子恰恰相反,他是一个教育家、历史家。虽然作老子的学生,受无为思想的影响,孔子在政治思想上的成就比较平凡,并没有什么创造的见解。但是孔子是一个了不得的教育家,他提出的教育哲学可以说是民主自由的教育哲学,将人看作是平等的。《论语》中有"性相近也,习相远也,唯上智与下愚不移"。就是说,除了绝顶聪明与绝顶笨的人没法教育以外,其他都是平等的,可教育的能力一样。孔子提出四个字,可以说是中国的民主主义教育哲学,就是:"有教无类。""类"是种类,是阶级。若是看了墨子讲的"类"和荀子讲的"类",然后再来解释孔子的"有教无类",可以知道此处的"类"就是种类,就是阶级。有了教育就没有种类,就没有阶级。后世的考试制度,可以说是根据这种教育哲学为背景的。

孔子的教育哲学是"有教无类",但他的教育"教"什么呢?孔子提出一个很重要的字,就是"仁"字。孔子的着重"仁"字,可以说前无古人后无来者。这是了不得的地方。这个"仁"就是人的人格,人的人性,人的尊严。孔子说:"修己以敬。"孔子的学生问:"这就够了吗?"孔子又说:"修己以安人。"孔子的学生又问:"这就够了吗?"孔子又说:"修己以安百姓。"这句话就是说教育并不是要你去作和尚,去打坐念经那一套。"修己"是作教育自己的工作,但是还有一个社会目标,就是"安人"。"安人"是给人类以和平、快乐。这一个教育观念是新的。教育并不是为自己,不是为使自己成为菩萨、罗汉、神仙。修己是为了教育自己,为的社会目标。所以后来儒家的书《大学》里的"格物、致知、诚意、正心、修身",是修身的工作;而后面的"齐家、治国、平天下",都是社会的目标。所以孔子时代的这种"修己以安人"、"修己以安百姓"的观念就是将教育个人与社会贯连起来。教育的目标不是为自己自私自利,不是为升官发财,而是为"安人"、"安百姓",为齐家、治国、平天下。因为有这个使命,就感觉到"仁"——受教育的"人",尤其是士大夫阶级,格外有一种尊严。人本来有人的尊严，到了作到自己感觉有"修己以安人"、"修己以安百姓"的使命时，就格外感觉到有一种责任。所以《论语》中说："志士仁人，无求生以害仁，有杀身以成仁。"就是说，遇必要时，宁可杀身以完成人格。这就是《论语》中的"不降其志，不辱其身"。孔子的大弟子曾子说："士不可以不弘毅，任重而道远。仁以为己任，不亦重乎！死而后已，不亦远乎！"就是说受教育的人要有大气魄，要有毅力。为什么呢？因为"任重而道远"。"任"就是担子。把"仁"拿来作担子，担子自然很重；到死才算是完了，这个路程还不远吗？这一个观念，是我们所谓有孔孟学派的精神的：就是将个人人格看得很重，要自己挑起担子来，"修己以安人"，"修己以安百姓"。孟子常说："自任以天下之重。"曾子说："仁以为己任。"以整个人类视为我们的担子，这是两千五百年以来的一个了不得的传统。后来宋朝范仲淹也说："先天下之忧而忧，后天下之乐而乐。"这就是因为"修己以安人"而感觉到"任重而道远"的缘故。明末顾亭林以为："天下兴亡，匹夫有责，"也是这个道理。

　　所以自由民主的教育哲学产生了健全的个人主义。个人主义就是将自己看作是一个有担子的人，不要忘了自己有使命，有责任。不但孔子如此，孟子也讲得很清楚："富贵不能淫，贫贱不能移，威武不能屈，此之谓大丈夫。"就是说大丈夫的人格要自己感觉到自己有"修己以安人"的使命。再讲到杨、朱、庄子所提倡的个人主义，也不过是个人人格的尊严。庄子主要的是说："举世誉之而不加劝；举世非之而不加沮。"这就是最健全的个人主义。老子、庄子都是如此。到了汉朝才有人勉强将他们跟孔、孟分了家，称为道家。秦以前的古书中都没有"道家"这个名字（那一位先生能在先秦古书里找到"道家"这个名字的，我愿意罚钱）。所以韩非子在秦末年时说："天下显学二，儒、墨而已。"他只讲到儒、墨，没有提及道家。杨、朱的学说也是个人主义。这个个人主义的趋势是一个了不得的趋势，以健全的民主自由教育哲学作基础，要作到"不降其志，不辱其身"；提倡人格，要挑得起人

类的担子，挑得起天下的担子。宁可"杀身以成仁"，不可"求生以害仁"。这个健全的个人主义，是第二个重要的运动。

第三件大事发生在纪元前5世纪以后，在孔子以后，自纪元前4世纪起到3世纪时，正是战国时代。原来春秋时代有一个大国——晋。晋国文化很高，但在西历纪元前403年即被权臣分裂为韩、赵、魏三国。这一年历史家算作战国的第一年。那时南方的楚也很强大，因为晋国三分，亦便没有可畏的强邻了。当时的秦孝公是一个英主，用了一个大政治家商鞅，两人合作而造成了一个极权国家。不过极权主义的思想原则远在商鞅之前就已发生，在《墨子》的《上同》篇中已有这个思想。关于中国古代思想的三个大老——老子、孔子、墨子，我在《中国哲学史》上卷，提倡百家平等，认为他们受了委屈，为被压迫了几千年的学派打抱不平。现在想想，未免矫枉过正。当时认为墨家是反儒家的；儒家是守旧的右派，而墨家是革新的左派。但这几十年来——三十五年来的时间很长，头发也白了几根，当然思想也有点进步——我看墨子的运动是替民间的宗教辩护，认为鬼是有的，神是有的。这种替民间宗教辩护的思想，在当时我认为颇倾向于左；但现在看他，可以算是一个极右的右派——反动派。尤其是讲宗教政治的部分，所说的话是右派的话。在政治思想上，只要看他的《上同》篇。《上同》篇中说：

> 古者民始生，未有刑政之时，盖其语人异义。是以一人则一义，二人则二义，十人则十义。其人兹众，其所谓义者亦兹众。是以人是其义，以非人之义，故交相非也。……天下之乱，若禽兽然。

义就是对的；一个人认为自己是对的，十个人认为他们各是对的，结果互相吵起来而"交相非也"。拿我的"义"打人家的"义"，结果天下大乱而"若禽兽然"。有了政府时，政府中，上面是天子，有三公、诸侯——乡长、里长，政府成立了。然后由天子发布命令给天下百姓，说你们凡是听见好的或不好的事都要报告到上面来，这是民主集权制。《上同》篇中说：

夫明乎天下之所以乱者，生于无政长，是故选天下之贤可者立以为天子。天子立，以其力为未足，又选择天下之贤可者置立之以为三公。……政长既已具，天子发政于天下之百姓，言曰：闻善而不善（王引之读"而"为"与"），皆以告其上。上之所是，必皆是之；所非，必皆非之。……上同而不下比者，此上之所赏而下之所誉也。……

只要上面说是对的，下面的人都要承认是对的，这就是"上同"，"上同而不下比"。

里长发政里之百姓，言曰：闻善而不善，必以告其乡长。乡长之所是，必皆是之；乡长之所非，必皆非之。……乡长唯能壹同乡之义，是以乡治也。……乡长发政乡之百姓，言曰：闻善而不善者，必以告国君。国君之所是，必皆是之；国君之所非，必皆非之。……国君唯能壹同国之义，是以国治也。……

天子的功用就是能够壹同天下之义。但是这还不够，天子上面还有上帝。所以：

国君发政国之百姓，言曰：闻善而不善，必以告天子。天子之所是皆是之，天子之所非皆非之。……天子唯能壹同天下之义，是以天下治也。……天下之百姓，皆上同于天子，而不上同于天，则灾犹未去也。……

这才算是真正的上同。但是怎样才能达到上同呢？拿现代的名词讲，就是用"特务制度"，也就是要组织起来。这样才能够作到在数千里外有人作好事坏事，他的妻子邻人都不知道，而天子已经知道。《上同》篇中有一段说：

故古者圣王唯能审以尚同以为政长，是故上下情通（依毕王诸家校）。上有隐事遗利，下得而利之；下有蓄怨积害，上得而除之。是以数千万里之外，有为善者，其室人未遍知，乡里未遍闻，天子得而赏之。数千万里之外，有为不善者，其室人未遍知，乡人未遍闻，天子得而罚之。是以举天下之人皆恐惧振动，惕栗不敢为

淫暴,曰:"天子之视听也神!"

就是说天子的看与听都是神。然后又说:

> 非神也,夫唯能使人之耳目助己视听,使人之唇吻助己言谈,使人之心思助己思虑,使人之股肱助己动作。助之视听者众,则其所闻见者远矣;助之言谈者众,则其德音之所抚循者博矣;助之思虑者众,则其谈谋度速得矣;助之动作者众,则其举事速成矣。故古者圣人之所以济事成功,垂名于后世者,无他故异物焉,曰唯能以上同为政者也。

这就是一种最高的民主集权制度。这种思想真正讲起来也可以说是一种神权政治,也是极权政治的一种哲学。所以我们从政治方面讲,老子是站在左派,而墨子是站在极右派。不过后来墨子并没有机会实行他的政治哲学。

秦孝公的西方国家本来是一个贫苦的国家,但是经过商君变法,提倡"农"、"战",这是一种政治上、经济上、军事制度上的大改革、大革新。这个革新有两大原则:一是提倡"农",生产粮食;一是提倡"战"。有许多古代的哲学,古代的书籍,因为离开我们太久远了,我们对它的看法有时看不大懂。在三十五年前我写《中国哲学史大纲》时,就很不注意《商君书》和韩非子的书。这种书因为在那时候,没有能看得懂,觉得有许多东西好像靠不住。等到这几十年来,世界上有几个大的极权政府,有几个已经倒了,有的还没有倒。因为这个缘故,我们再回头看墨子、商君的书,懂了。这是经过三十多年的变化而生的转移。举例来说:譬如关于"战",关于极权政治,在《商君书》第十七章里有一节:"圣人之为国也,一赏、一刑、一教。一赏则民无敌;一刑则令行;一教则下听。"这个"一赏、一刑、一教",真正是极权的国家主义。最重要的是一教。一教之义,就是无论什么学问、无论什么行为,都比不了富贵;而富贵的得来,并不靠你的知识,也不靠你的行为,也不是因为名誉;靠什么呢?靠战争。"所谓一教者,博闻辩慧,信廉礼乐,修行群党,任誉清浊,不可以富贵。……富贵之门,要存战而已矣。"能够作战的才能践富贵之门;因为这个缘故,父兄、子弟、朋友、婚姻的谈话中最重要的事是战争。"彼能战者,践富贵之门。……是父兄昆弟知识婚姻合同者,皆曰,务之所加,存战而已矣。故当壮者务于战,老弱者务于守。死者不悔,生者务劝。此……所谓一教也。""民之欲富贵也,共阖棺而后出。而富贵之门必出于兵。是故民间战而相贺也。起居饮食所歌谣者,战也。……圣人治国也,审一而已矣。"像这样使人认为战争是可贺的,在家中在外面所唱的歌都是战争;这样才能作到使百姓听到战争的名字,看到战争,有如饿狼看见了肉。这样老百姓才可以用了。"民之见战也,如饿狼之见肉,则民用矣。凡战者,民之所恶也。能使民乐战者,王。"这些书籍,我们在当时看不懂;到了最近几十年来,回头看一看《史记》、《商君书》,才都懂了。那时的改革政治是怎样呢?就是将人民组织起来,分为什伍的组织,要彼此相纠发。《史记·商君列传》:

> 令民为什伍,而相牧司(相纠发)连坐(一家有罪而九家连举发。若不纠举,则十家连坐)。不告奸者腰斩。告奸者,与斩敌首同赏,匿奸者与降敌同罚。……有军功者,各以率受上爵。……大小僇力本业耕织;致粟帛多者,复其身。事末利及怠而贫者,举以为收孥。

这是西方的秦建设了一个警察国家,一个极权的国家,而且成绩特别好。在不到一百年之内,居然用武力统一了当时的所谓天下。始皇二十六年统一天下,过了八年后又发生了问题,就是当时还有许多人保留了言论自由。于是三十四年丞相李斯议曰:"……古者天下散乱,莫之能一,是以诸侯并作,语皆道古以害今,饰虚言以乱实。人善其私学,以非上之所建立。"就是百姓以批评来反对政府所建立的政策。接着又说:

> 今皇帝并有天下,别黑白而定一尊,私学而(乃)相与非法教。人闻令下,则各以其所学议之。入则心非,出则巷议。夸主以为名,异取以为高,率群下以造谤。如此弗禁,则主势降乎上,党

羽成乎下。禁之便。

主张还是禁止言论自由为对。于是就具体建议："臣请史官非秦纪皆烧之；非博士官所职，天下敢有藏诗书百家语者，悉诣守尉杂烧之。"将书烧了以后，如果还有人敢批评政府的就杀头。"有敢偶语诗书，弃市。""吏见知不举者与同罪。""所不去者，医药卜筮种树之书……"这是秦始皇三十四年的大烧书。

总而言之，第三件大事就是秦朝创立了一个很可怕的极权国家，而且大成功，用武力统一了全中国，建立了统一的帝国。

第四件大事就是极权国家的打倒，与无为政治的试行。汉高祖是百姓出身，项燕、项羽与张耳一班人都是贵族。汉高祖是一个地地道道的百姓，知道民间的疾苦，所以当他率领的革命军到达咸阳时，就召集父老开大会，将所有秦代所定的法律都去掉，只留约法三章。其实只有两章："杀人者死；伤人及盗抵罪。"汉朝的几个大领袖都能继续汉高祖的这种政策。当时的曹参是战功最高的，比韩信的战功还高。汉高祖将项羽打倒后，立私生子作齐王，派曹参去作相国。曹参当时就说，我是军人，而齐国的文化程度最高，经济程度也高，情形很复杂，我干不了；还是请一班读书人去吧！于是大家告诉他，山东有一个人叫盖公，可以请他指导。于是曹参就去请教盖公。盖公说：我相信老子的哲学，要治理齐国很容易，只要"无为"就可以治好齐国。于是曹参就实行"无为之治"。在齐国作了九年宰相，实行无为的结果，齐国大治，政治成绩为全国第一。所以在萧何死后，朝廷又请曹参回到中央政府作宰相。曹参到了中央任丞相以后，也还是喝酒不管国事。当时的惠帝就遣曹参的儿子去问曹参。曹参打了儿子一顿。及曹参上朝，惠帝向他说，你为什么打你的儿子？是我叫他问的。曹参便脱帽谢罪，向惠帝说："陛下比高皇帝何如？"惠帝说："我那可以比高皇帝！"参又问："陛下看我比萧何那个能干？"惠帝说："君似乎不及萧何。"参曰："陛下说得是。既然陛下比不上高祖，我比不上萧何，我们谨守他们的成规，无为而治岂不好？"惠帝就说"很好"。不但如此，以后吕后闹了一个小政变，结果一班大臣请高祖的一个小儿子代王恒来作皇帝，这就是汉文帝。文帝的太太窦后是一个了不得的皇后。文帝死后，景帝登位，窦后是皇太后。景帝死后，武帝登位，窦后是太皇太后。前后三度，当权四十五年。窦太后最相信老子的哲学，他命令刘家、窦家全家大小都以老子的书作必修教科书。所以汉朝在这四十五年中实行无为而治的政治。对外方面，北对匈奴，南对南越，都是避免战争。对内是减轻租税，减轻刑罚；废止肉刑，废止什伍连坐罪；租税减轻至三十分之一，这是从古以来没有的，以后也没有的。人民经过战国时代的多少战争，又经过楚汉的革命战争，在汉高祖以后，七十年的无为政治使人民得了休息的机会。无为而治的政治使老百姓觉得统一的帝国有好处而没有害处。为什么有好处呢？这样大的一个帝国，没有战事，没有常备军队，没有警察，租税又轻，这自然是老百姓第一次觉得这个政策是值得维持、值得保存的。

由于汉朝这七十年的有意实行的无为而治，才造成了四百年的汉帝国，才留下无为而治的规模，使我们中国两千多年来的政治思想、政治制度、政治行为都受了这"无为而治"的恩典。这是值得我们想想的。这是我对于中国古代政治思想的一个看法。

中国文学过去与来路

诸位！近四十年来，在事实上，中国的文学多半偏于考据，对于新文学殊少研究，以我专从事研究学术与思想的人去讲文学，颇觉不当。但"既来之，则安之"，所以也不得不说几句话。我觉得文学有三方面：一是历史的，二是创造的，三是鉴赏的。历史的研究固甚重要，但创造方面更是要紧，而鉴赏与批评也是不可偏废的。马幼渔先生在中国文学系设文学讲演一科，可谓开历来的新纪元。如有天才的人，再加以指导、批评，则其天才当有更大的进展。马先生本来是约我和徐志摩先生作第一次讲演的，不幸得很，志摩死了，只好我来作第一次讲演，以后当讲一讲徐先生的作品。今天讲的题目是"中国文学过去与来路"，这好像是店家看看账一样，究竟是货物的来路如何，再去结算一下总账。过去大约有四条来路——来路也就是来源。

第一，来源于实际的需要

譬如吾人到研究室里去，看看甲骨文字，上面有许多写着某月某日祭祀等等。巴比伦之砖头，上面写信，写着某某人。我们中国以前也用竹简或木简，近来在西北所发现的竹简很多。像这些祭祀、通信、卜辞、报告等等，都是因为实际的需要才有的，这些是记事的体裁，如《墨子》、《庄子》等书，也都是为着实际的需要才逼出来的。

第二，来源于民间

人的感情在各种压迫之下，就不免表现出各种劳苦与哀怨的感情，像匹夫匹妇、旷男怨女的种种抑郁之情，表现出来，或为诗歌、或为散文，由此起点，就引起后来的种种传说故事。如《三百篇》大都是民间匹夫匹妇、旷男怨女的哀怨之声，也就是民间半宗教半记事的哀怨之歌。后来五言诗七言诗，以至公家的乐府，它们的来源也都是由此而起的。如今之舞女所唱的歌，或为文人所作给他们唱的。又如诗词、小说、戏曲，皆民间故事之重演；像《诗经》、《楚辞》、五言诗、七言诗，这都是由民间文学而来。

第三，来源于国家所规定的考试

国家规定一种考试的体裁，拿这种文章的体裁去考试人才，这是一种极其机械的办法。如唐朝作赋，前八字一定为破题，以后就变为八股了，这是机械的，越机械越好。像五言律诗、七言律诗，都是这一种的东西，这没有什么价值。但是它的影响却大，中国五六百年来，均受此种影响，这也可说是一条来路。

第四，来源于外国文学

中国不幸得很，因为处的地势与环境的关系，没有那一国给中国以新的体裁。只有一条路，即是印度。中国受了印度不少的影响，如小说、诗歌、记事之故事等等，都是受了它的熏染与陶冶的。我们中国不受它的影响，也许会有小说、诗歌、戏曲，但没有它，决不能给我们以绝大之力量的进展。吾人相信受它的影响，比自身当有五六百倍之大，因为我们先人给予我们不过是一些简单之文字，如"子曰……诗云……"等是，而想象力又很薄弱。吾民族可谓极简单极朴实之民族，如《离骚》之想象力，尚称较为丰富，但其思想充其量亦不过想到上天下地而已。印度就大不然了，如《般若经》等等，不惟想到天上有天，以至三十三重天，而且想到大千世界，以至无数的天。又如《维摩诘经》不过为一简单之小说，吾人却当一经典，到处风行。又如《法华经》，以及其他各种经典，讲佛家的故事，讲释迦牟尼成佛的故事……能给予吾人以有兴趣的深切的感觉，不知不觉也随之到了一种佛的境界。这种力量是何等的重大，思想是何等的高深啊！像《西游

记》、《封神榜》这一类的书，都是受了它们绝大的影响的。譬如俗语说："看了《西游记》，到老不成器，看了《封神榜》，到老不像样。"这些话都足以证明此二书风行之普遍与灌输民间思想之深入。其实这两种书描写的不受事实之拘束，与想象力之解放，都是受了印度佛教的思想。他们这种想象力之解放与奔腾，实为吾思想简单朴实之民族所不能及。前在敦煌石室，发现种种佛家文学，亦甚重要。总之如无印度文学，决不会产生像《西游记》《封神榜》这一类有价值的东西；它实在直接间接地给予吾人以各种丰富的想像，吾人才会产生好的文学来。

这四条路，第三条虽是于中国文学影响很大，但是有害的，没有什么价值。最重要还是第二条路的民间文学，占一个甚重要的位置。中国文学史没有生气则已，稍有生气者皆自民间文学而来。前与傅斯年先生在巴黎时谈起民间文学有四个时期：第一个时期是诗词、歌谣，本身的自然风行民间。第二个时期，是由民间的体裁传之于文人，一些文人们也仿着这种体裁作起民间的文学来。第三个时期，是他们自己在文学里感觉着无能，于是第一流的文学家的思想也受了影响，他们的感情起了冲动，也以民间的文学作为体裁而产生出一种极伟大的文学，这可以说是一个很纯粹的时期。第四个时期，是公家以之作成乐府，此时期可谓最出风头了。但是到了极高峰，后来又慢慢地低落下来了，如乐府《陌上桑》是顶好的文学作品，后来就有人摹仿着作《陌上桑》，例如胡适之又摹仿那个摹仿作《陌上桑》的人作《陌上桑》，后来又有人摹仿胡适之作起来，这样以至无穷无穷，才慢慢地变为下流。如词曲、小说，都是这样，先有王实甫、曹雪芹、施耐庵等，后来就有摹仿他们，以至低落下去，这样一来，是很危险的。

民间文学，一般士大夫（外国所谓之 gentleman）向来看不起他们，这是因为：第一缺陷，来路不高明，他们出身微贱，故所产生的东西，士大夫们就视作雕虫小技。《诗经》是他们所不敢轻视的，因为是圣人所作;《楚辞》为半恋爱半爱国的热烈沉痛的感情奔放作品,故站得住;五七言诗为曹氏所扶植,因他们为帝王,故亦站得住;词曲、小说,不免为小道,皆为其出身微贱的缘故。第二缺陷,因为这些是民间细微的故事,如婆婆虐待媳妇啰,丈夫与妻子吵了架啰……那些题目、材料,都是本地风光,变来变去,都是很简单的。如五七言诗,词曲等也是极简单不复杂的,这是因为匹夫匹妇、旷男怨女思想的简单和体裁的幼稚的缘故。来源不高明,这也是一个极大的缺陷。第三缺陷为传染,如民间浅薄的、荒唐的、迷信的思想互相传染。第四缺陷,为不知不觉之所以作。凡去写文艺的,是无意的传染与摹仿,并非有意地去描写。这一点甚关重要,中国两千五百年的历史,可谓无一人专心致意地来研究文学,可谓无一人专心致意地来创造文学!这种缺陷是不可以道里计的。到了唐朝,韩退之、白香山等深感觉骈文流行之不便,才把他们认为是古文的改为散文。这种运动,可说是一种文学运动,两千五百年无一人有此种运动,十四年前有新文学运动,亦为此一种。这是由无意的传染一变而为有意的研究。

新文学的来路,也有两条:

一、就是民间文学,如现今大规模地搜集民间歌谣故事等,帮助新文学的开拓,实非浅显。

二、除印度外,即为欧洲文学。我们新的文学,受欧洲影响极大。欧洲文学,最近两三百年如诗歌、小说等皆自民间而来,第一流人物,把这种文学看作专门事业,当成是一种极高贵的、极有价值的终身职业。他们倡导文学的是极有名的人,如华茨华斯(William Wordsworth1770—1850)、莫泊桑(Maupassant1850—1893)等等都是倡导文学的第一等人才,他们的文学并非由外传染,而是由内心的创造。他们是重视文学的,有这种种缘故,所以才能产生出伟大的作品。我们的新文学,现在我们才知道有所谓自然主义、浪漫主义、写实主义、象征主义、心理分析……种种派别之不同,并非小道可比,这是我们受了西洋

文学的洗礼的结果。

今日替诸位算一算旧账,现在当教授的也提倡民间文学,以新的眼光和新的方法去看待它,也许从两千五百年以来要开辟一条新的道路。

中国的传记文学

我很抱歉，史学系的同学找了我好几次，叫我对大家讲一次演。因为我觉得没有什么话可讲，所以总没有答应。后来非请我来讲不可，我便请他们像主考似的，先给我出一个题目，因为这样倒比较容易些，但他们又谦虚而不肯，不得已我便挑选了这个大家不注意的"中国的传记文学"来同大家谈一谈。

现在我感觉中国研究历史的人，多偏重渺茫的古代，而对于现代的东西倒抛弃而不顾，我觉得这是近来学术界上一个不好的现象。再说古代的东西研究的材料，总是靠着大家都知道的经书，《史记》、《国语》等类书，谁都是根据这几部书。至于他们所研究的成绩，叫我们看来也不过尔尔，这种毛病可以叫作偷懒。谈到研究更古的东西，譬如挖出一块什么骨头来，那上面的字，你这样说法，他那样说法，另外一人便又有一种说法，众说纷纭，谁和谁的解释都不相同，最终还是得不出一个定论；得不出定论的东西，我是不希望大家去研究的。

研究古代的，总是靠了那现存的几部书，是比较容易的，但是现代的则很困难了。如果叫诸位作一篇《袁世凯传》就很困难，关于他一生的材料，若是整理起来，真得费一番长工夫。再说曾国藩的传记，也是同样的难作。曾氏一生的家书、奏折、日记，浩如烟海，整理起来，实在是非常的麻烦。可是大家不靠了他们的知识来研究现在的东西，却撇开了重要的有用的东西，反而专去研究甲骨文一类的老古董。但是我们知道传记文学和历史的发达是很有关系的。如果传记文学不发达，历史就不会发达。如果大家不走这条路，而走那得不到论定的死路，那就

好像研究一道得不出答数的数学题一样。我们费尽了精力去研究得不出最后定论的工作,唯有请他们老辈去作,因为他比你们在世上多活了些年,知道的东西也多些,就是大米也比你们多吃了几斤,所以他们研究起来,或许比你们多得到些结果。你们只有就近代的活材料去研究能够得到定论的东西,将来对历史上的贡献一定不可限量;就是研究文学的同学,也走这条路,我想一定能给我们产生几部丰美的传记文学。这是我今天讲这个题目的意思。

我们中国两千五百年来,有历史性质、有文学价值的传记文学,只有我今天带来的这两部而已,这是多么贫乏的事体。所以我希望你们不要去坐在高楼里作普罗文学,因为普罗阶级的生活情况,你们离得太远,是完全不懂的。

现在我要开始谈谈中国的传记文学了。中国的传记文学我以为可分为两大类,每一大类中又可以分为若干小类。第一大类是请旁人替作的,第二大类是自己作的。现在先谈一谈第一大类,这类中又分为八小类:

1. **小传** 是旁人替作的小传,字数大约总是二三百字,到三四千字的就不多见。譬如某人替他的友人作一小传,字数非常简短,选一件可以代表他的朋友的个性道德的重要事迹,从而发挥之,使后人可窥见他的为人若何,藉而仿效。中国的传记大部属于这类。

2. **墓志铭** 人死之后,尤其是重要人物或大和尚之流死了以后,往往旁人替他作一小传,刻在砖上,放在坟里。自汉朝起多用两尺见方的砖,如现在挖掘出来的三国及魏晋的墓志铭,都是很短很短的传记;后来才用三尺四尺的石头,有的也不放在坟里去,于是材料便多些,范围就扩大多了。

3. **墓碑** 这是与墓志铭的性质差不多的东西,如神道碑、墓碑或庙宇前面的塔碑都是这一类,不过都放在外边罢了,同时也大了许多。

4. **历史上的传记** 如某族系的传记,某县的县志,某府的府志,凡是与历史有关系的都作为传记,这自太史公以来,永没有改变过。你们可以看一看国史馆的东西，作这一类东西是要作者根据亲身见闻经历的东西，才能可靠。根据一封信、一件趣事，便能作成小传，不过等到编为国史的时候，说不定就失掉了原来可靠的性质，而变为没有什么价值了。如司马迁在《封禅书》中写汉武帝写的很简单很漂亮，句句是恭维的话，其实句句是讽刺的意思，因为他不崇拜他的原故。即他写比他早一点的人物，如叔孙通也写的怪好的。至于可靠与否，实在不得而知。他崇拜项羽，所以写项羽写的很好，这都可以当成文学的书籍来读，都在历史上有相当价值。此外还有班固写《后汉书·外戚传》，陈寿写孔明。陈寿最赞成诸葛孔明，所以写的特别的优美生动。后来史书变成了官书之后，便没有什么价值了，并且因为种种的避讳，使人不容易写好。

5. **行状** 状是没有什么文学价值的，只是最好的传记材料而已。譬如一个人死了，他的儿子请另外一个人替他的父亲或母亲作一篇行状，这是最好的草史，是预备供给他人参考的，或是供给国史馆的史官采用，这是最可靠的材料。但是很可惜在中国保存下来的很少，现在我们能够见到的如宋韩琦的行状只有两本，便是最可靠最宝贵的东西。以后希望大家遇到这类的行状，务必要把它保存起来，你们也可以竭力地写你们的父母的行状送给朋友们一看，这是于历史上很有价值的东西。如宋程颐、程颢弟兄二人，二程便曾替大程作过行状。又如作《东塾读书记》的崔东壁先生，曾给他父亲写过一篇行状，也就是哀启一类的东西，这类的东西，是最真实的，所以也最有价值。

6. **年谱** 一个人死了以后，尤其是重要的人物死了以后，请旁人把他一生的重要事迹分年编起来，先把所有材料搜集在一块，整理妥当了，那件事应该排列在那一年，都按部就班地编订好了。只靠了短短的小传是不足凭信的，而年谱则是分年的传记底稿。最初是韩文公的年谱，柳子厚的年谱，如李白、杜甫等大诗人，若只靠他们的小传，是不够的，于是便把他的诗文按年编起来，成了后来年谱的体裁。所以这种体裁起于宋朝，也唯有宋朝最发达，也唯有宋朝这种年谱的内容最

详尽。

7. **言行录** 这类是不一定分年的，只是采集一些材料编在一块儿，如本校所出版的蔡孑民先生言行录便是。它的起源远在孔夫子的《论语·檀弓》，以至于《孟子》，甚至于北方的大学者大哲学家颜习斋言行录、曾国藩的言行录，都是这一类。

8. **专传** 专传是从小传发达而成的，这类是最进步的一体，也是最发达的一体。这一类是和第五类相像的。专门为一个人作传，如玄奘的徒弟慧立所作的《施恩大法师传》，这是古代唯一的有章法有体例的传记，这一类在历史中很少，所以不容易举出几部来。次是梁任公先生给康南海作的传、李鸿章的传。最后是张孝若给他的父亲张謇先生所作的《言行记》，约有二十万言之多。

第二大类是自己作的传记，这类又可分为六小类：

1. **自叙** 也就是自记自述，这是拿散文写出来的。如《史记》的后边第一百三十篇有太史公的自叙，叙他的父亲和他怎么样来收集材料，作成一部《史记》。又如汉朝有一个大历史学家大哲学家王充，于《论衡》后面也有一篇自记，叙他读书的经过。不记事实，只写兴味的有陶渊明的《五柳先生传》，所写的似是本人又似乎不是本人，是用第三者的口吻写出来的。我名之曰小传的自传。此外，白香山也有这类的东西。

2. **韵文的自传** 这是私人用韵文来作自传式的传记，如《离骚》开首便说："帝高阳之苗裔兮，朕皇考曰伯庸。"诗人作诗的时候往往有自传式的句法。汉人就有用此体的传记。近来有一个外国人作了一本《杜甫自传》，我初听了觉得非常惊讶，杜甫何曾作过自传呢？后来才知道是他从杜甫的集子里把类似自传性质的诗文搜集在一起编辑而成。我们都相信杜甫的诗中含着自传性的东西实在很多。

3. **游记笔记** 古人往往很谦虚，不肯直写自己的事情，常常用游记式来写。如唐玄奘去印度的时候，到处都有游记，写他如何经过中央亚细亚到了印度，及沿途风俗人情，颇为详尽，一直到了现在，于考察中央亚细亚的历史的时候，还有很大很大的价值与帮助。

4. **日记** 日记里面的材料是最有真实性的，可惜流传下来的太少了。如朱熹说他的朋友吕东莱的日记很好，但是我们看不到了，现在只有三卷，真是怪可惜的。又如，元明以来的日记也很少见。又如，绍兴李慈铭曾作过御史，初起是非常寒微的。他的日记很多，后来经蔡元培先生印出了三十多部，还有没有整理的。又如，明朝孙奇峰，清朝王闿运、翁同龢的日记都很多，只是当时印刷不精，所以流传的很少。

5. **信札** 在信札里，往往更能看一个人的真个性、真思想。如你写二十封信，写的时候曾起过什么念头，写信的动机是什么，都能晓得。西人把 life andletters 就看的很重要。如果你研究某人的东西，若证之以家书，便更较确实。要是只靠其日记，便不如靠其家书。如看《曾国藩家书》，便感觉这种材料非常真实。所以他父亲把它保存起来。

6. **自作年谱** 这是自叙传中一种最成熟的体裁，自叙往往是比自传、年谱来得详细。这一类最有价值，最应该保存。中国保存的很多，如《张季直年谱》，今天我要介绍给大家的也就是这一类。如汪守敬的年谱，汪曾作过《病榻梦痕录》，还有《梦痕余录》，官书名为《龙庄遗书》。因为他曾作了三十多年的师爷，后来才中了进士，到湖南去作官。这种书销行颇广，是因其内容多写关于作官的方法。所以从前作官赴任时，藩台往往先给你这一部书，使你知道作官的方法。这部书是1730年到1806年作成的。此外还作过一部《二十四史韵编》，在这部书里他把辽、金、元的历史赤裸裸地写出来。他的母亲本是丫头出身，他十二岁上他父亲便死掉，他母亲从此守寡。诸如此类，他都不隐讳地写出来。他自己非常的迷信，他将当时的宗教心理、社会心理都描写出来。还有有一次他看见旁人穿着纱衫很不错，便想买一件，可是没有钱，于是便替人去打枪，一直打了十八次之多，所得的钱才够买一件纱衫。虽然这样小的事情，他也毫不避忌地写在那儿。这一部书最重要的是关于当时社会情形及经济状况的记载。如米的价钱，从江苏经安徽到北京沿途的见闻都写出来；如那处卖男女，男的比女的又多卖多少钱。

还有西班牙的"站人钱"可以换多少银子,以及当时浙江、湖南的政治情形,科学法律的制度,也都写出来。这是值得特别介绍的一部书,所以今天带来介绍给大家。

复次,还有一部书,是关于第一大类的,便是王懋竑的《朱子年谱》,也是各处的官书局所必刻的书。这部书同前书都是流传最广的书,也是值得特为介绍的。王是乾隆时的人。

我们知道在中国哲学史上,明朝有王阳学派与朱子学派之争,王阳明作过朱子晚年定论一文,他引朱子的书札,说朱子的主张和他自己的主张相同。当时还有一个姓陈的也是这样的说。但是这所根据的信件,是不是朱子晚年的东西呢?这究属是个问题。后来王懋竑费掉了四十多年的精力,研究朱子的东西。朱子是一位博学的人,著书颇多,整理他的著作,真是非常的困难,王先生便给他作了四十多年的年谱,后来附录没有成竟,便死去了。他说王阳明所根据的信札,并不是朱子晚年的东西,而是四十多岁上说的话。

除了以上的第一等的作品外,还有《西域记》、《王荆公年谱考略》。王荆公变法失败以后,一般人便把可靠的材料改变啦,结果把王荆公说得很坏。他的同乡蔡上祥花了五十多年的工夫,作了《王荆公年谱考略》,才把王荆公的冤屈洗掉了。

中国的传记文学值得介绍的,就是这可怜的几部而已,顶多把《西域记》加上也不过四部而已。

中国的传记文学究竟为什么不发达呢?以我想来有四因:

第一,中国人不崇拜英雄　中国人是最不崇拜英雄的,而且最怕人家认成自己是英雄。如曾国藩打下了南京以后,便首先自己裁兵,实在是因为怕他人攻击和忌妒。到了北京,还怕太监们暗算他呢。如果你崇拜英雄,便有人骂你受了贿赂,当了某人的走狗,而且大家认为骂人的总是对的,被骂的总是错的。其实是非崇拜英雄不可。譬如《论语》,是孔子弟子所记录的,他们最崇拜孔子,所以才有那么大的成绩。这都是因为崇拜的动机而成功的。又如玄奘的到印度去,政府不让他出洋,而他非去不可，也是因为崇拜英雄的原故。就是朱子的成功，也不外乎此。又如，西洋的圣人苏格拉底的成功，也是因为柏拉图将他的一言一动都记下来，而成立一部很好的传记文学。中国只有化钱的传记而没有崇拜的传记。要是有传记的文学，非有一种宗教似的英雄崇拜不可，不然的话，王懋竑、蔡上祥几十年作的年谱也就不会有了。我们现代的人只会考究什么似是而非的古董，不去研究活材料的传记。袁子才虽说有人骂他是轻薄儿，但是如果他听说某名医或者某一位他所崇敬的人死了，他不等他人的请求，便亲自去搜集材料，给他作一篇传记，所以袁子才集中关于传记的东西很多，尤其是关于有名的绍兴师爷的传记很多。

第二种原因是忌讳太多 我们都知道忌讳太多也是使传记文学不发达的原因。一个人死了，因了种种的关系，有许多重要的话，不能吐露。譬如研究系的人死了，你给他作传记时，便不能骂国民党，同时还有其他的种种避讳。国民党也是这样，民国尚且如此，专制时代就可以想见了。这样子七折八扣的，所余的材料就很有限了。若是化钱买一位文人来作传记，便不会作到好处，因为有种种的忌讳，总是说假话，其实也不肯更不敢说真话，很少有人像王懋竑似的说老实话。

第三，材料的缺乏 材料的不完备也是传记文学不发达的原因。如前边所述第一大类的七、八两项（言行录与专传）的材料就不易找到。材料所以难找的最大原因是：A. 国家没有史城（arch）来保存国家的史料；B. 是地方上没有私人的图书馆；即令有保存的，也是重要人物的字画，至于破烂的书信便不被人重视了，何况一会儿去革命，一会儿又跑到别处去，社会也是治乱无常。但是西方人则不然，一位重要人的东西，无论什么都有人给他保存起来，绝不会失佚的。中国社会上的不安定，也是一个不易保存的原因。日本有一个很悠久的太平时候，所以他们的寺院里保存的东西很多。此外，中国人也不大注意传记的材料，如写信写文章总是不写年月日，即便写，也是些甲子、丙辰一类的日子，使你无法根据。最近几年来才由我们几位提倡，书信或文章后面，

才加上年月日,以备将来有人给自己作传,且传记的材料,应该按年月日编起来。现在讲一个笑话,譬如美国威尔逊死了,找作传的人,后来 Baker 先生应征,威氏的夫人便以七个 Armcar 装了他一生的所有的材料送与贝克先生那里去,以便替他的丈夫作传。大家试想,如果不是材料按年月编好了,七辆 Armcar 的材料,怎么样去整理呢?

第四,文字的障碍 中国文字的障碍,也是传记文学不发达的原因。因为各时代的文章体例不同,有死的文字,有活的文字。如六朝时候的佛家传家,完全是用的骈文,言之无物,只是华美,研究起来很困难,好容易看懂了,而于所研究的东西,没有什么大关系。因为所用都是骈体,找老半天还是没有有价值的材料。直到韩愈、柳宗元才用散文作文章,后来的人都以韩、柳为法式,就是顾亭林也是不能脱其格式的。

末了希望你们选一个近代的人去给他作一个传记,但是必须是令人可佩服的,是你所崇拜的。如孙中山、曾国藩、列宁。顶好你们能够在中国历史上多添几部传记文学,是于最好的人格的修养有关系的。其他社会人才,政治上的人才,都可以由传记文学中得来。英国的大学中,就没有什么政治学一类的课程,他们的政治上的修养,都是从政治家的传记中得来的。记得去年我在协和治盲肠炎的时候,见一个女看护,我就问他:"你为什么单单要来当看护呢?"他说:"我从前在小学堂里读过 Nightingale 的传记,他是在克里米亚战争时首创红十字会的人,他救活了许多许多的伤兵,所以我自从那时候起,便决心要当一个看护。"大家想一想,传记文学的力量有多大!假使我们中国从前多有几部优美的可爱的传记文学,也许我们的国家不至于糟到现在这样的程度。

传记文学

今天我想讲讲中国最缺乏的一类文学——传记文学。

这并不是因为我对传记文学有特别研究,而是因为我这二三十年来都在提倡传记文学。以前,我在北京、上海曾演讲过几次,提倡传记文学;并且在平常谈话的时候,也曾劝老一辈的朋友们多保留传记的材料,如梁任公先生、蔡孑民先生和绰号财神菩萨的梁士诒先生等,我都劝过。梁士诒先生有一个时期很受社会的毁谤。有一次,他来看我,我就劝他多留一点传记材料,把自己在袁世凯时代所经过的事,宣布出来,作成自传;不一定要人家相信,但可以藉这个机会,把自己作事的立场动机赤裸裸地写出来,给历史添些材料。可是这三位先生过去了,都没有留下自传。蔡先生去世十多年,还没有人替他作一部很详细的传记。梁任公先生五十多年的生活,是生龙活虎般的;他的学说,影响了中国数十年,我们觉得应该替他作一部好的传记。那时丁文江先生出来担任搜集梁任公传记的材料,发出许多信并到处登广告,征求梁任公与朋友来往的书札以及其他的记述。丁先生将所得到的几万件材料,委托一位可靠并有素养的学者整理;后来写了一个长篇的初稿,油印几十份交给朋友们校阅。不幸国家多故,主办的丁文江先生很忙,未及定稿他本人也死了。所以梁任公先生的传记到现在还没有定稿。梁士诒先生死后,他的学生叶誉虎先生根据他生前所经手作的事情的许多原始材料,编了两本《梁燕孙先生年谱》。这虽然不是梁先生的自传,但是内容完备详细,我看了很高兴。这个

年谱的刊行，可以说是我宣传传记文学偶然的收获。今天借这个机会我又要来宣传传记文学了！我希望大家就各人范围之内来写传记，养成搜集传记材料和爱读传记材料的习惯。

师院同学曾要我谈谈《红楼梦》。《红楼梦》也是传记文学，我对《红楼梦》的作者曹雪芹作过考据，搜集曹雪芹传记材料，知道曹雪芹名霑，雪芹是他的别号，他的前四代是曹禧、曹寅、曹頫、曹洪。《现代名人大辞典》里列有曹霑的名字，使爱读《红楼梦》的人知道《红楼梦》作者的真名和他的历史，算是我的小小贡献。这种事情是值得提倡的……我希望这次回来能将我所写的有关《红楼梦》的文章（散见在《胡适文存》、《胡适论学近著》中的），再加上我朋友们所找到的有关曹家的材料（如台大教授李玄伯先生所发表过的文章，以及吴相湘先生在清故宫发现的秘密了差不多一百五十年的奏本）收集在一起，合印为一册，使爱读《红楼梦》及关心《红楼梦》的人有一个参考。也许我下次再来时，便可以谈谈《红楼梦》了。

我觉得两千五百年来，中国文学最缺乏最不发达的是传记文学。中国的正史，可以说大部分是集合传记而成的；可惜所有的传记多是短篇的。如《史记》、《汉书》、《后汉书》、《三国志》、《晋书》等，其中的传记有许多篇现在看起来仍然是很生动的。我们略举几个例：太史公的《项羽本纪》，写得很有趣味；《叔孙通传》，看起来句句恭维叔孙通，而其实恐怕是句句挖苦叔孙通。《汉书·外戚传》中的《赵飞燕传》，描写得很详细，保存的原料最多。《三国志》裴松之的注，十之八九是传记材料。《晋书》也有许多有趣味的传记，不幸是几百年后才写定的。《晋书》搜集了许多小说——没有经过史官严格审别的材料——成为小说传记，给中国传记文学开了一个新的体裁。后来作墓志铭小传，都是受了初期的几部伟大的历史——《史记》《汉书》《三国志》等——的传记体裁的影响。不过我们一开头就作兴短传记的体裁，是最不幸的事。

中国传记文学第一个重大缺点是材料太少，保存的原料太少，对于被作传的人的人格、状貌、公私生活行为，多不知道；原因是个人的记录日记与公家的文件，大部分毁弃散佚了。这是中国历史记载最大的损失。

除了短篇传记之外，还有许多名字不叫传记、实际是传记文学的言行录。这些言行录往往比传记还有趣味。我们中国最早、最出名，全世界都读的言行录，就是《论语》。这是孔子一班弟子或者弟子的弟子，对于孔子有特别大的敬爱心，因而把孔子生平的一言一行记录下来，汇集而成的。

中国从前的文字没有完全作到记录语言的职务，往往在一句话里面把许多虚字去掉了。《尚书》"商盘"、"周诰"为什么不好懂？就是因为当初记录时，没有把虚字记录下来，变成了电报式的文字。现在打电报，为了省钱，把"的"、"呢"、"吗"等虚字去掉。古代的文字记载所有过简的毛病，不是省钱，而是因为记录的工具——文字不完全。大概文字初用的时候，单有实字——名词、代名词，没有虚字。实字是骨干，虚字是血脉、精神。骨干重要，血脉更重要。所以古时的文字，不容易把一个人讲的话很完全地记录下来。到了春秋时代，文字有了进步，开始有说话的完全记录；最早最好的说话纪录，是《诗经》。《诗经》里的"大雅"、"周颂"，文字还不十分完全。但是"国风"全部和"小雅"的一部分，是民间歌唱的文字；因为实在太好了，所以记录的人把实字、虚字通通记录下来了。如："投我以木桃，报之以琼瑶。匪报也，永以为好也！"表示口气的"也"字都写出来了。又如："俟我于著乎而？充耳以素乎而？尚之以琼华乎而？"你看看，耳环带红的好，还是带白的好？又带什么花呢？把一个漂亮的小姐问他爱人的神态，通通表现出来了。这是记录文字的一个好榜样。至于历史上最好的言行录，就是刚才说的《论语》。《论语》文字，虚字最多。比方"学而时习之，不亦说乎！"一句话有五个虚字。子禽问于子贡曰："夫

子至于是邦也,必闻其政,求之欤?抑与之欤?"这是孔子的一个学生问另外一个学生的话。拿现在的话来说:我们的老师到一个国家,就知道人家政治的事情,这是他自己要求得来的,还是人家给他的呢?子贡答复的最后两句话:"夫子之求之也,其诸异乎人之求之欤!"(我们的先生要求知道政治的事情,恐怕同别人家的要求不同一点吧!)这样一句话,竟有十个虚字。这是把说话用文字完完全全记录出来的缘故,妙处也就在这里。

《论语》这部书,在中国文学史上占最重要的地位。这部书的绝大部分是记孔子同他的弟子或其他的人问答的话的。聪明的学生问他,有聪明的答复;笨的学生问他同样的一个问题,他的答复便不同。孔子说话,是因人而异的;但他对学生、对平辈,以及对国君——政治领袖——那种不卑不亢的神情,在《论语》里面,是很完整地表现出来了。现在有许多人提倡读经,我希望大家不要把《诗经》、《论语》、《孟子》当成经看。我们要把这些书当成文学看,才可以得到新的观点,读起来,也才格外发生兴趣。比方鲁定公问孔子一个问题,问得很笨。他问道:"一言而可以兴邦,有诸?"这正如现在我要回到美国,美国的新闻记者要我以一分钟的时间报告这次回台湾的观感一样。孔子对曰:"言不可以若是;其几也!人之言曰:'为君难,为臣不易。'如知为君之难也,不几乎一言而兴邦乎?"(孔子的话译成现在的话就是:"一句话便可以把国家兴盛起来,不会有这样简单的事;但说个'差不多'罢!曾有人说过,'作君上难;作臣下也不容易。'如果一个国君知道作君上的难,那么不是一句话就差不多可以把国家兴盛起来么?")定公又问:"一言而丧邦,有诸?"孔子答覆道:"言不可以若是;其几也!人之言曰,'予无乐乎为君,唯其言而莫予违也!'如其善而莫之违也,不亦善乎!如不善而莫之违也,不几乎一言而丧邦乎?"(孔子的话译成现在的话就是:"一句话把一个国家亡掉,不会有这样简单的事;但说个'差不多'罢!曾有人说过,'我不喜欢作一个国君;作一个国君只有一件事是可喜欢的,那就是:我的话没有人敢违抗。'如果他所说的是好话而没有人敢违抗,那岂不是很好的事!如果他所说的不是好话而没有人敢违抗,那么,岂不是一句话便差不多会把一个国家亡掉了么!")我们从孔子和鲁定公这段对话来看,知道《论语》里面,用了相当完备的虚字。用了完备的虚字,就能够把孔子循循善诱的神气和不亢不卑的态度都表现出来了。像这样一部真正纯粹的白话言行录,实在是值得宣传、值得仿效的。很可惜的,两千五百年来,没有能继续这个言行录的传统。不过单就《论语》来说,我们也可知道,好的传记文学,就是用白话把一言一行老老实实写下来的。诸位如果读经,应该把《论语》当作一部开山的传记读。

我们若从语言文字发展的历史来看,更可以知道《论语》是一部了不得的书。它是两千五百年来,第一部用当时白话所写的生动的言行录。从《论语》以后,我们历史上使人崇拜的大人物的言行,用白话文记录下来的,也有不少。比方昨天我们讲禅宗问题时提到的许多禅宗和尚留下来的语录,都是用白话写的。这些大和尚的人格、思想,在当时都是了不得的。他有胆量把他的革命思想——守旧的人认为危险的思想——说出来,作出来,为当时许多人所佩服。他的徒弟们把他所作的记下来。如果用古文记,就记不到那样的亲切,那样的不失说话时的神气,所以不知不觉便替白话文学、白话散文开了一个新天地。尤其是湖南"德山"和尚和河北"灵济"和尚的语录,可以说都是用最通俗的话写成的。现在我不必引证他们的语录,但是从那记言记行的文字中,可以知道,这些大和尚的语录,的确留下了一批传记的材料。

还有古时的许多大哲学家、思想界的领袖,他们的言行录,也是一批传记的史料。比方死于1200年的朱子,在他未死之前,他的学生就曾印出许多"朱子语录";朱子死了之后,又印出了许多。这些都是朱子的学生们,在某年某月向朱子问学所记录下来的东西。这些语录,大

部分是白话文。后来朱子语录传出来的太多了,于是在朱子死后六七十年间,便有人出来搜集各家所记的语录,合成一书,以便学者。这就是我们现在所有的黎靖德编的《朱子语类》一百四十卷。假如写朱子传记,这部语类就是好材料。为朱子写年谱的人很多,最有名的是一位王懋竑先生,他费了半生时间,为朱子写年谱,都是用语录作材料。这些白话语录,记得很详细,有时一段谈话,就有几千字的记录。这些有价值的材料,到现在还没有充分利用。像这样完全保存下来的史料,实在很少很少。明朝有一位了不得的哲学家王阳明,他的学生佩服老师、爱敬老师,也为老师记下了一大批白话语录。后来就有人根据这些语录,来写王阳明年谱。语录可说是中国传记文学中比较好的一部分。可惜两千五百年来,中国历史上许多真正的大学者,平生的说话,很少有人这样详细地用白话记录下来的。就是个人的日记、书翰、札记这类材料,也往往散佚,不能好好地保存下来。所以中国的文学中,两千五百年来,只有短篇的传记,伟大的传记很少很少。

我们再看西洋文学方面是怎样的呢?最古的希腊时代,就有许多可读的传记文学,譬如大哲学家苏格拉底(Socrates)的两个大弟子,都曾写下许多苏格拉底的言行录。他的一个大弟子叫施乃芬(Xenophon),规规矩矩地写他老师的一言一行。另外一个大弟子柏拉图(Plato),是一个天才的文学家。他认为他的老师是一个最伟大的人,不应该没有传记,不应该没有生动的、活的传记。他用戏剧式写出了他的老师苏格拉底和朋友及门人的对话,这种对话留传下来的有几十种,其中关于苏格拉底临死以前的记录就有三种。当时社会上的人控告苏格拉底,说他是异端、邪说,不相信本国的宗教,煽惑青年,带坏了青年,要予他以惩罚。当时的希腊已是民主政治,就将他交由人民审判——议会审判。柏拉图所描写苏格拉底在法庭上为他自己辩护的对话,叫作《苏格拉底辩护录》,为世界上不朽的传记文学;审判的结果,还是判他死罪。再一部是写他在监里等死的时候,同一个去看他的学生的对话录。还有一部是写他死刑的日子,服毒前的情景。当毒药拿来时,他还如平时一样从容地同他的学生谈话,谈哲学和其他学问的问题,等到时候到了,苏格拉底神色不变地将毒药吃下去。那种毒药的药性,是先从脚下一点一点地发作上来的。苏格拉底用手慢慢向上摸着说,"你看!药性已经发作到这地方了。"他的学生看到毒药在他老师身上起着变化,拿一条巾把他盖起来;一会儿苏格拉底还没有死,自己把它拿开了,嘱咐他的学生说:"我在药王——医药之神——前许过愿要献他一只鸡。请你不要忘记了,回去以后,到医药之神那里献上一只鸡。"他的学生说:"一定不敢忘记。"这是最后的问答。这三种谈话录,可算是世界文学中最美、最生动、最感人的传记文学。

基督教的《新约全书》中有四福音。第四个福音为"约翰福音",是四福音中较晚的书。前面三个福音为"马太福音""马可福音""路加福音"。这三个福音是耶稣死后不久,他的崇拜者所记下来的三种耶稣的言行录,也像《论语》为孔子的一种言行录一样。这三种言行录中有一部分的材料相同,有一部分不相同,但都是记录他们所爱戴的人在世时的一言一行的。这三个福音也是西洋重要的传记文学。以传记文学的眼光来看,是很值得人人一读的。

在希腊、罗马以后,当18世纪的时候,英国有一个了不得的文学家约翰生博士(Dr. Johnson)。这个人谈锋很好,学问也很好。同时有一个人叫作博施惠(Boswell)的,极崇拜约翰生,就天天将约翰生所说的话记录下来。后来就根据他多年所写的记录,作了一部《约翰生传》。这是一部很伟大的传记,可以说是开了传记文学的一个新的时代的。

再说九十年前就任美国总统的林肯,是一个出身很穷苦的人。他由于自己努力修养成为一个大人物,在国家最危险的时期出来作领袖。他在被选为连任总统的第一年中,被人刺杀而死。这个真正伟大人物的传

记，九十年来仍不断地出来；新材料到今天还时有发现，其中有许多部可以说是最值得读的书。

不但文人和政治家的传记值得读，就是科学家的传记也值得读。近代新医学创始人巴斯德（Pastur）的传记，是由他的女婿写的，也是一部最动人的传记。巴斯德是19世纪中法国的化学家。到他以后，医学家才确定承认疾病的传染是由于一种微菌。他一生最大的贡献也就在于微菌的发现。我们中国有一句很流行的话，叫作"物必先腐也，而后虫生之"。差不多很多人作文章的时候都这样写。其实这一句话是最错误的。照近代医学的证明，并不是物腐而后虫生，乃是虫生而后物腐。这个重大而最有利于生命的发现，是巴斯德对于人类的大贡献。这一个科学家的传记，使我这个外行人一直看到夜里三四点钟，使我掉下来的眼泪润湿了书页。我感觉到传记可以帮助人格的教育。我国并不是没有圣人贤人，只是传记文学不发达，所以未能有所发扬。这是我们一个很大的损失。

我们的传记文学为什么不发达呢？我想这个问题值得大家讨论。今天时间不多，只简单地就个人所领会的提出二三点：

第一，传记文学写得好，必须能够没有忌讳。忌讳太多，顾虑太多，就没有法子写可靠的生动的传记了。譬如说，中国的帝王也有了不得的人，像汉高祖、汉光武、唐太宗等，都是不易有的人物。但是这些人都没有一本好传记。我刚才说过，古代历史中对传记文学的贡献很少；现在我想起，在《后汉书》中有一篇《汉光武传》，是值得我们注意的。这一篇中，保存了许多光武寄给他的将领、大臣，以及朋友的短信——原来也许是长信，大概是由史官把它删节成为一二句或几行的短信的。除此以外，其他的帝王传记都没有这样的活材料。因为执笔的人，对于这些高高在上的人多有忌讳，所以把许多有价值的材料都删削去了。讲到这里，我不能不提及一件近代的掌故。清朝末年有一个作过外国公使的人的女儿，叫作德菱公主的，懂得几句外国话，后来嫁给外国人。他想出一个发财的方法,要作文学的买卖,就写了一部《西太后传》。你想他这样的人一生中能够看见几次西太后?我恐怕他根本就没有法子看见西太后,所以从头就造谣言来骗外国人。这样的传记,当然不会有什么大价值的。

此外,有许多人有材料不敢随意流传出去,尤其是专制国家中政治上社会上有地位的人,甚至文人,往往毁灭了许多有价值的传记材料。譬如,清朝的曾国藩,是一个很了不得的人;他死了以后,他的学生们替他写了一个传记。但是我把他的日记(据说印出来的日记已经删掉一部分)对照起来,才知道这本传记,并没有把曾国藩这个人写成活的人物。我们可以说一直到现在,还没有一本好的曾国藩的传记。什么缘故呢?因为有了忌讳。中国的传记文学,因为有了忌讳,就有许多话不敢说,许多材料不敢用,不敢赤裸裸地写一个人、写一个伟大人物、写一个值得作传记的人物。

第二个原因,是我们缺乏保存史料的公共机关。从前我们没有很多的图书馆——公家保存文献的机关,一旦遇到变乱的时候,许多材料都不免毁去。譬如说,来了一个兵乱,许多公家或私人的传记材料都会完全毁灭。我举一件事情来说明这个道理罢。大家知道第一次世界大战时美国总统威尔逊是一个伟大的人物,为举世所公认的伟大领袖。他死了以后,他家属找人替他作传,就邀集了许多朋友在家中商量。后来决定请贝克(Baker)替他作传,贝克考虑后答应了。所需的材料,威尔逊太太答应替他送去;后来由当时的陆军部长下命令,派七节铁甲车替威尔逊太太装传记材料给贝克。你想,光是威尔逊太太家中所存的材料就可以装七辆车!我们中国因为很少有保存这种材料的地方,所以有些时候,只好将这种材料烧毁了。烧毁之后,不知道毁去多少传记学者要保留的材料。

以上两点,只是部分,说明中国传记文学所以不发达的原因。还有第三个原因是因为文字的关系。我觉得中国话是世界上最容易懂的话,

但文字的确是困难的。以这样的文字来记录活的语言,确有困难。所以传记文学遂不免吃了大亏。

前边我介绍的几部我们文学中的模范传记,也可以说是我们划时代的传记文学。《论语》是一部以活的文字来记录活的语言的;禅宗和尚的语录,在文学上也开了一个新的纪元,在传记文学上开辟了一个新的天地,提倡了一种新的方法。后来中国理学家的语录,像《朱子语类》和《传习录》(王阳明)等等,多是用白话来记录的。但因为文字的困难,不容易完完全全记录下活的语言,所以这类的文学,发达得比较慢。这是我们传记文学不发达的第三个原因。

最后,我想提出两部我个人认为是中国最近一二百年来最有趣味的传记。这两部传记,虽然不能说可以与世界上那些了不得的传记相比,但是它在我们中国传记中,却是两部了不得、值得提倡的传记。

一、《罗壮勇公年谱》(即《罗思举年谱》);

二、《汪辉祖病榻梦痕录》及《梦痕余录》。

这两部书,是我多少年来搜求传记文学得到的。现在先介绍第二部。

汪辉祖,本来是一个绍兴师爷。当他十几岁的时候,就开始跟人家学作幕府。后来慢慢地作到正式幕府。所谓幕府,就是刑名师爷。因为从前没有法律学校,士子作官的凭科举进阶。而科举考的是文学,考中的人,又不见得就懂法律,所以作官的人,可以请一个幕府来作法律顾问,以备审问案件的时候咨询。汪辉祖从十七岁步入仕途,一直在作幕府工作,直到三十九岁左右才中了进士。他虽然没有点翰林,但是已经取得了作官的资格,就奉派到湖南作知县。因为他是作幕府出身的,所以当他奉派到湖南作知县的时候,他没有请幕府。就这样一直作到和他的上司闹翻了,才罢官回乡。在家园中又过了几十年,才与世长辞。他的这部《病榻梦痕录》与《梦痕余录》,写的就是他作幕府与作官的那些经历,实在是一部自传。因为他生在清朝乾嘉时代，受了作官判案的影响，所以他以幕府判案的方法和整理档案的方法，来整理学问的材料。他所著的那部《史姓韵编》，可以说是中国《二十四史》的第一部人名索引。他讲政治的书籍，连《梦痕余录》在内，后人编印了出来，名叫《汪龙庄遗书》。这一部书后来成为销行最广的"作官教科书"，凡是作知县的人，都要用到这部书，因为这部书里头，尽是关于法律、判案、作官及作幕府的东西。我名为"作官教科书"，是名副其实的。

汪辉祖的自传，在现代眼光看来，当然嫌它简略。但是我们如果仔细从头读下去，就可以知道这是一部了不得的书。我们读了以后，不但可以晓得司法制度在当时是怎样实行的，法律在当时是怎样用的，还可以从这部自传中，了解当时的宗教信仰和经济生活，所以后来我的朋友卫挺生要写中国经济史，问我到那里去找材料，我就以汪辉祖的书告诉他。因为我看了这本书，知道他在每年末了，把这一年中，一块本洋一柱的换多少钱，二柱、三柱的又换多少钱，谷子麦子每石换多少钱，都记载得很清楚。我当时对本洋的一柱、二柱、三柱等名目，还弄不清楚。卫挺生先生对这本书很感兴趣，研究以后向我说：书中所谓一柱、二柱、三柱，就是罗马字的ⅠⅡⅢ，为西班牙皇帝一世、二世、三世的标记；中国当时不认识这种字，所以就叫它一柱、二柱、三柱。

其次讲到当时的宗教信仰。这里所谓宗教信仰，不是讲皇帝找和尚去谈禅学，而是说从这本传记中可以了解当时士大夫所信仰的是什么。因为汪辉祖曾经替人家作过幕府，审问过人民的诉讼案件；我们看他的自传，可以知道他是用道德的标准来负起这个严格的责任的。他说：他每天早晨起来，总是点一支香念一遍《太上感应篇》，然后再审案。这是继续不断，数十年如一日的。《太上感应篇》是专讲因果报应的，我们当然不会去相信它，不过还是值得看一看。汪辉祖天天都要念它一遍，这可以代表一个历史事实，代表他们所谓"生作包龙图，死作阎罗王"的思想。包龙图是一个清官，俗传，他死了以

后,就作了第五殿阎罗王。所以他们认为生的时候作官清廉,死了就有作阎罗判官的资格。这原是他的一种理想,也可说是当时一般法律家的一大梦想。由于汪辉祖每天要念《太上感应篇》,所以他到了老年生病发烧发寒的时候,就作起怪梦来,说是有个女人来找他去打官司,为的是汪辉祖曾经因为救了一个人的生命,结果使他没有得到贞节牌坊,所以告他一状,说他救生不救死。汪辉祖当时对这个案子虽然很感困难,但也觉得似乎有点对不起那个女子。但是人家既然告了他的状,他也不得不去对质。对质结果,准他的申诉。这一段写得很可笑。我讲这件事有什么意思呢?就是我们从这里可以看出汪辉祖的宗教观。

其次,讲到《罗壮勇公(思举)年谱》——这也是值得一看的书。罗思举是贫苦出身的。当满清嘉庆年间,白莲教作乱,满清官兵不够用了,就用各省的兵。罗思举就是在这个军队中当大兵出身的,后来慢慢晋升,竟作了几省的提督。因为罗思举是当兵出身的,所以他写的自传,都是用的很老实很浅近的白话。现在,我就举一两个例子,来看看他写的是多么诚朴。他说:他当小孩子的时候,曾经作个贼,偷过人家的东西;他的叔父怕他长大也不学好,所以就把他打了一顿,然后再拿去活埋;幸而掩埋的泥土盖得不多,所以他能够爬了出来,并跑到军队里头去当兵。这一点,可以说是写得很老实的。至于他写清朝白莲教的情形,也很可注意。他说白莲教原不叫白莲教,而叫百莲教,就是一连十、十连百的一种秘密组织。当时剿白莲教的军队,据他说都是一些叫化子军队;打起狗来,把狗肉吃了,狗皮就披在身上蔽体。这也是一种赤裸裸的写法。最后,我还要举一个例子:我们常常听到人说,我们是精神文明的国家,我们希望这种人把罗思举的年谱仔仔细细地一读。他说,有一天在打仗的时候,送粮的人没有赶上时间,粮草因此断绝。他怕影响军心,于是他就去报告他的长官:"我们粮草断绝,没有办法,可不可以把几千俘虏杀来吃?"他的长官说:"好。"结果,就把俘虏杀来吃了，留下一些有毛发的部分。第二天，运粮的人仍然没有到，于是又把昨天丢了的那些有毛发的部分捡起来吃。第三天，粮草才运到。这些都是赤裸裸的写实。

我过去对中国传记文学感到很失望，但是偶然得了一些值得看一看的材料，所以特别介绍出来供诸位朋友研究。

白话文的意义

校长、各位先生、各位同学：

现在常常有人找我去演讲，我因为事情很忙，就告诉新闻界的朋友说，我的店底已经卖完了，新货还没有来，现在只好暂停交易，以后再择吉开张。可是两星期以前江校长要我来同诸位谈谈，也没有告诉我什么题目。曾经有一位新闻记者问我在一女中准备讲什么，我说，想对各位中学生朋友讲"白话文的意义"。后来报纸上登出来的是《白话文的改革》，好在意思都差不多。

今天我要讲的是我们提倡白话文来代替古文，以活的语言作教育的工具，作文学的工具。究竟白话文的基础是什么？意义是什么？4月15日就要在台湾出版我的一本书，叫作《四十自述》。在我四十岁的时候，为了一班朋友的劝告，写了六章自传，后来又加写了一章，是讲我提倡白话文的事，也就是人家所称的文学革命。各位可以看看，在最后一章的附录，就是写我们一班朋友提倡文学革命的历史。送给一女中的一本里面的错字都是我自己改的。

那时在美国大学里，我们中国的留学生不多，年纪虽都不大，思想却比较成熟，都是受过传统的古文教育的，对于古代文字的训练也都有些基础，会作古文、古诗，并且常常讨论。今天诸位也常能听见许多人说，研究历史一定要有一元论的历史观，信神的就说历史的最后解释是神。无论以那一种因素来解释历史，或说上帝可以解释一切，或说经济生产的方法可以解释一切，这些都叫作一元的历史观。我不赞成这种一元论的历史观，我觉得许多历史的事实是偶然的。譬如我们提倡白话文学就是很偶然的事，各位看了我的《四十自述》，就可以知道提倡白话文是很偶然的事了。

我的母校康奈尔大学的校园里有一个凯约嘉湖，附近有山，有瀑布，风景优美。在1915年的夏天，来了几个暑期学校的男女同学，那里的中国女学生很少，所以男学生就忙着租船，请了两个女同学游湖。忽然起了大风，他们就赶快靠岸，船刚靠岸，风雨来了，大家又抢着上来，把船弄翻了；虽然没有出什么危险，却弄湿了一位女同学的衣服。他们就在岸上用了野餐，其中有一位同学却写了一首诗叫《凯约嘉湖上覆舟记实》。那时候我已离开康奈尔大学到哥仑比亚大学去了，所以他把那首诗寄给我看。他作的是四个字一句的古诗，我看完之后就写信给他批评这首诗不好。因为将两千年前的死字和两千年后的活字用在一起，文字不一致；诗的文字是应该一致的。我那个朋友就提出抗议，这些事都是偶然的。来了女学生是一个偶然；租船游湖又是一个偶然；遇着风雨，弄湿衣服，也都是偶然。那个朋友作诗以及我批评他，都是偶然又偶然的事。那时哈佛大学有位姓梅的老朋友，见到我的批评就出来打抱不平，来信骂了我一顿，我又回信驳他。因此，我要告诉各位小朋友，这种有意思的讨论比写情书有用得多。在我们讨论之间，有几个很守旧的同学和我们慢慢讨论到什么叫死的文字，诗应该用什么文字，以后范围又扩大到中国的文学将来应该用什么文字，是用两三千年前孔子、孟子时代，司马迁时代的死的文字呢？还是用现在的活的文字？那时就在康奈尔、哥仑比亚、哈佛、华盛顿和华夏女子大学这五个大学的宿舍中讨论起来。一天一张明信片，三天一封长信，这样把我逼上梁山，逼着我去想，逼着去讨论。因此，我感觉到中国的文字必须改革。但是文学革命该走什么路呢？大家都觉得应该从内容改革起。我觉得文学是根据文字，而文字是根据语言；说话是文字的根本，文字是文学的根本，也是一切文学的工具。于是不得不去研究中国的文学史。我由研究文学史得到了许多材料，完全是根据中国历史上、文学上、文字上的传统得来的一种教训，一种历史的教训。中国每一个文学发达的时期，

文学的基础都是活的文字——白话的文字。但是这个时期过去了，时代变迁了，语言就慢慢由白话变成了古文，从活的文字变成死的文字，从活的文学变成死的文学了。因为一班人的专门仿古，那个时代的文学就倒霉了，衰弱了。又一个新的时代起来，老百姓又提出一个新的材料、新的方式、新的工具，这样，文学就起了一个新的革命。两千五百年的中国文学史可以说有两个潮流：一个是读书人的士大夫文学潮流，一个是老百姓的平民文学潮流。中国文学史上总是有上下两层潮流，上层的潮流是古文，是作模仿的文学；下层的潮流随时由老百姓提出他的活的语言，作活的文学，譬如三百篇的《诗经》里，有一百篇都是民间的歌谣，我们可以断定它是活的语言，它把仇恨、情爱和吵架时的情感都表达出来。这种文学绝不是要等学会了一种死的语言再来作的。又譬如婴儿在睡觉的时候哭闹，母亲往往顺口哼出儿歌来催他睡觉，这儿歌是不是要等他学了二十年的古文再来唱呢？从前男女恋爱也往往是男的唱一首情歌，女的就回唱一首情歌，这情歌是不是也要等他们学上十年的古文再来唱呢？还是就唱他所能唱的歌呢？当然是用活的语言来唱。又像在有些城市或乡村里有谈笑话和讲故事的人，他们为了要使人家听得懂，就非讲白话不可，他们没有法子等学了古文再来讲。所以每个时代都有老百姓在用活的语言创造他们的文学，创造他们的儿歌、情歌、山歌、故事……这是由中国两千五百年的文学史上得来的教训，往往下层的文学力量大，影响到上层的文学。读书的人家都是守旧的，不准小孩子看小说，唱土话的歌，但是当家里的佣人抱着他时就会讲一个故事给他听，而他就会觉得故事很好听，甚至比先生讲的书要好懂多了。今天在座的同学当然不会知道我们小时候的情形，那时我们看小说都要偷偷地看，这在全世界都是一样的。所有用活的文学的国家都曾经经过这么一个时代。以欧洲来讲，欧洲的文艺复兴就是把古文废了。欧洲的古文有两种，最古的是希腊文，其次是拉丁文。那时候罗马帝国规模很大，中古和近古早期的欧洲，所有读书人都是用拉丁文著述、通信。后来，意大利有一个大文学家最先用他本国的白话写诗、写散文、写小说、写戏剧……只有他有勇气替意大利创造了新的文字、活的语言。另外有个意大利人因为偷看了用意大利白话文写的诗,被他父亲知道了就把他关在一间房子里,只给他开水和黑面包,不准他喝牛奶,只因他胆敢偷看用意大利白话文写的诗,所以该罚!该罚!

我记得很清楚,当我七八岁的时候念的是乡学,先生是我的叔叔,他一共只有两个学生。有一天,先生被人家邀去打纸牌,学生可以自由活动。我那个同学向来是赖学的,就跑出去玩了。我素来不赖学,就趁空替先生理东西,忽然看见字纸篓里有一本破书,我捡起来一看,是一本破的《水浒传》。我不知道诸位有没有看过这本书,《水浒传》确是一本好书,当时我没有看过这本书,就拿着这本破《水浒传》一直站着看完,那本破书到"李逵打死殷天赐"以下就没有了。我看完以后就跑出去找另外一个不高明不学好的叔叔,我知道他会讲故事,我问他:"你有这个书吗?你替我找一本全部的好不好?"于是他替我借了全部的《水浒传》,我一个晚上就看完了。

下层文学总是慢慢上来影响上层的文学。那时候先生不许我们看下层文学的书,偏偏我偶然的在字纸篓里看见了这本破书,站着看完也是偶然的事。平民文学慢慢地影响到上层社会,于是就有许多人偷偷地看,有时候看到不满意的地方就改,现在的许多伟大小说都不知道是谁著的。《水浒传》有人说是施耐庵著的,但我考据了多少年,还不知道是谁著的。因为这些小说都是经过许多头等的小说家看过之后,认为故事不好,就你改一段,他改一段,又不肯用真姓名,只有用假名。中国两千五百年来文学演变的历史,给我一个教训:就是无论那个时代,都有老百姓用活的语言来写他的小说,这是一种自然的发展,自然的趋势。这些新文学慢慢上来影响到守旧的死党,他们作诗填词不全用白话,但是好的诗总是白话,好的词也是白话。也有用古文写的小说,但是,到今天还是一年销几千万本的小说,如《水浒传》这些书都是用白话文写的。

我们再看,许多古文在当时都是白话,譬如我刚才说的《诗经》

是白话,没有问题。其他如《论语》、《孟子》也是白话。何以知道是白话呢!它用的代名词、虚字都不同,这是因为当初的文字不够,不过到了写《诗经》的时代,才把虚字都写下来。所以你们若是读过《诗经》,或是课本里选过《诗经》的诗,就会觉得白话的味儿很重。孔子、孟子是用当时山东西部的语言,《左传》这部书的文字就是代表当时几个地方的方言。所以我们现在所谓的古文,在当时都是白话,不过这个白话已经隔了两三千年,时代旧了,白话就变成了古文:活的语言变成了古的语言,活的文学变成了古的文学。本来每个时代都应该由活的语言创造那个时代的活的文学,后来因为时间久了,古文的权威大,力量大,大家不知道抗拒。古时候中国这么大的一个国家,全国的考试制度,都是用一种文字、一种形式的作文来作考试的文字,因为有这种统一的考试制度,结果就格外使古文的威势增大。在当时感觉到中国这么大,不能靠活的方言去发展,如果靠各地的方言去发展,就台湾有台湾的方言,福建有福建的方言,广东有广东的方言,浙江有浙江的方言,安徽有安徽的方言,这样一来就不统一了,所以当初认为古文是政治上和教育上的统一工具。因此,大家感觉到古代的文化的统一、政治的统一、教育的统一都是靠统一的古文,所以古文不能废。这是当初许多人反对白话文的理由。就是到现在还有一班老先生,舍不得把古文丢掉。考试院前年表示考试的作文不用白话文,都要用古文,这都是错误的意见;以为多少年来都是靠统一的文言文来维持政治上、教育上和文化上的统一,所以古文不能丢掉。殊不知道几千年来,已经由我们的老祖宗替我们准备了一个新的教育的统一工具,文字的统一工具,语言和文字的统一工具。这就是我们现在所谓的国语,当初所谓的官话。

使用官话的区域一天天扩大,台湾的语言,大部分是闽南话,一小部分是广东客家话,都是代表我国东南方的方言,所以我们感觉方言很难懂。我们若是从中国的地图上来看,就可以知道方言这个东西其实是很少很少的,只限于极少的区域。北边从上海起,南边到海南岛,台湾这东南角上的区域有所谓方言之外,大陆的百分之九十地区——包括东北各省及内蒙古——都属于官话区域。在地图上从最东北的哈尔滨画一条线到极西南的云南昆明，这一条线有四千英里长，但在这一条直线区域的任何地方的人都是用官话，不是用土话。我们一听他说话就知道是安徽人、山东人、河南人、山西人、天津人或是北京人。我们安徽人说："我们的话是天下最普'腾'（通）的话。"他虽然把音念得不对，但是我一听还是可以知道。所以大体上说来，我们的老祖宗在这几千年当中，已经把官话从哈尔滨一直推广到昆明，西南的四川话、云南话、贵州话、桂林话、河南话、安徽话、湖北话都是最普通的官话，湖南还有一部分是方言。所谓方言的区域在地图上共占百分之十，从上海附近的崇明岛算起，到南边的海南岛为止，这一个区域的话叫作方言，其中有江苏的吴语、福建话、厦门话、潮州话、广东话、客家话；不过，这一个地区的人口比较稠一点，拿人口讲，有百分之七十五的人讲官话，在地理上讲，是百分之九十。我们人口的百分之七十五就是三亿二千多万人。全世界很少有这么大的区域的人讲相同的语言。所以我们的老祖宗已经为我们准备了好的语言，在几年当中，官话经过大家的提倡，政府的改革，变成了现在的国语，国语就是全中国百分之九十的区域、百分之七十五的人口所说的话。凡是一种方言能够变成国家的统一语言，必须有三个条件作基础。

第一，必须是广大民众所说的话。

第二，最好是这种语言能够产生文学，可以写定教本，印成书。几千年来，我们的老祖宗写出了无数的小说、故事、戏曲、歌谣。说到这里，我希望在座的先生和同学们，从同学家庭里搜集民歌；从前不仅各大学搜集民歌，其他的机关也搜集不少民歌，民歌是很有价值的白话的民间文学。我们老祖宗写下的故事流传到今天还有销几千万本的，像《水浒传》就是一个例子。我们的语言不但是有三亿几千万人讲，而且在一千多年当中产生了许多文学作品，至少有一打第一等的小说可以媲美世界名著，如果没有这个基础就很困难。比方现在我们讲的"我们""你们"很简单，可是当初没有标准化，古文书里面有写成"我懑"

的，甚至于民国初年的小学课本里还有写成"我美"的，后来大家才知道用一个"们"字，改写成"我们""你们"。这是因为我们有了《水浒传》、《儒林外史》这些伟大的小说给我们作成文印成书的准备，现在的"我们""你们""他们"的"们"字才标准化。所以第一第二两个基础我们都有了。

第三，我们讲的话是世界上最简单、最规则、最容易学的一种语言，诸位学外国文字的时候才知道学欧洲文字的麻烦。比如说这是一个杯子，还要想想是男的还是女的，说一枝花还要想想是阳性还是阴性，一个表也要看是男的还是女的，文字上分性是最不方便最没有道理的。此外还有数目和时间的变化，语尾的变化。世界上变化复杂的文字都在慢慢把这些变化丢掉。现在英国的文字在西方文字当中要算最简单的，因为英国是几个民族混合起来的，把许多语尾的变化和文法上麻烦的东西都去掉了。所以世界上最容易学的语言是中国的语言，其次，比较合理的是丢掉那些欧洲语言中的复杂东西的英文。

在英文里面的 I am，You are，He is，I was，You were 这五个字都是从 Verb to be 的 be 字来的，可是你连 be 的鬼影子都没有看见，你问先生它到那里去了呢？倘使你的先生要探出这五个字的来源，他要费一番工夫。所以讲到合理和容易学，第一要算中国的语言，其次才是英文。

我们的老祖宗为我们留下了有三亿二千万人讲的统一的语言，无论你是讲安徽、江苏、湖北、湖南、四川、河南、山东、陕西各地不同的话，我们都听得懂，这是了不起的一件事。又有这么多的白话文作品作我们的教材，而且这个语言又是合理的，各位学了外国语言才知道没有一种外国语言比得上我们老祖宗的语言这样不会错，这样可以无师自通的。根据活的语言来写文章是不会错的，这比用古的语言、活的语言混合起来写好得多。

有人说古文废弃了，就没有统一的工具，而我们这三四十年来所作到的，正是把已经有的白话文拿来作教育统一、文学统一、文化统一的活的工具。现在一班守旧的人不知道他们守旧的顽固的行为和主张，往往妨碍了许多进步，而且打击我们毁坏我们三四十年来所提倡的文学革命的一点意义。学生学了文字是要拿出来用的，如果宪法、法律、报纸、政府的公文都不用白话，那么，你在学校里学了文字之后，连这些东西都看不懂，大家就都会说：先生教我的是所学非所用，我们出学校之后，想找一个小书记作都不行。所以现在许多守旧的人，不知道他们顽固的行为，毁坏了打击了我们四十年的真正改革。政府的领袖、各党各派的领袖、教育界的领袖都要自觉地认清楚，不能阻碍白话文的发展，要一致地帮助它，说的、写的、学的、用的、宪法、法律一切都是白话。然后，我们活的白话才可以有用处，才可以发生我们四十年前所期望的效果。

哲学与人生

今天我有此机会和诸位共聚一堂，是很高兴的。不过我不能满足诸位的希望，来说一些关于我们绩溪或徽州教育和社会的情形，要请原谅。我于十四岁便离了家乡，虽然也曾回去几次，但都不过几十天之久，所以对于家乡一切情形，很有许多隔膜；如果说起来，是一定不能满意的。因此，我把"哲学与人生"这个题目和诸位谈谈，或许可以帮助大家有一些益处。

讲到"哲学与人生"，我们必先研究它们的定义。什么叫哲学？什么叫人生？然后才知道它们的关系。我们先说人生。这六个月来国内思想界不是有"玄学与科学"的笔战吗？国内思想界的老将吴稚晖先生，最近在《太平洋》杂志上发表一篇《一个新信仰的宇宙观及人生观》，其中下了一个人生的定义。他说："人是哺乳动物中的有二手二足用脑的动物，人生即是这种动物所演的戏剧。这种动物在表演时，就有人生，停演时就没人生。所谓人生观，就是表演时对于所演之态度。譬如有的喜唱大面、有的喜唱花面、有的喜唱老生、有的喜唱小生、有的喜摇旗呐喊，凡此种种态度，就是人生观。"

哲学的定义，我们常在各种哲学书籍上见到，不过我们尚有再找一个定义的必要。我在《中国哲学史大纲》上卷上所下的哲学定义说："哲学是研究人生切要的问题，从根本上着想，要寻一个根本的解决。"但是根本两字意义欠明，现在略加修改，重新下了一个定义说："哲学是研究人生切要的问题，从意义（meaning）上着想，要想找出一个比较可普遍适用的意义。"要晓得哲学的起点是由于人生切要的问题，哲学的结果，是对于人生的适用。人生离了哲学是无意义的人生，哲学离了人生是想入非非的哲学。至于世界上究竟有没有普遍适用的意义，那是一个问题，我们可以不必去管它——也许是哲学家的梦想哟！

现在举两个例来说明它。当两千五百年前，在喜马拉雅山南部脚下，有一个小国里，街道上倒卧着一个病势垂危的老丐。当时有一个王太子经过，在别人看来，将这老丐赶开，或是毫不经意地走过就完了。但是王太子是赋有哲理的天才的人，他就想人为什么逃不出老病死这三个大关头。这个抽象的观念，是他从极平常的事实中推出；再进一步，他就要想解脱的方法。因此他就抛弃了他的太子爵位、妻孥、皇宫财货，遁迹入山，去静想人生的意义。后来在树下猝然他想出一个"空"字。于是他就很高兴，并出山传道。他说：所谓生老病死，实不过心理作用；如果我以为生老病死都是空的，那末人生就可得而解脱了，不成问题了。这就是他用想象（imagination）去想出一种比较普遍适用的意义那！换句话说：一切皆空，就是释迦牟尼的哲学了。这种哲学的合理与否，姑不说它；但是的确是研究人生切要的问题，从意义上着想去找他以为比较普遍适用的意义。

我们再举一个例。譬如我们睡到夜半醒来，听见贼来偷东西，我们就将他捉住，送县究办。假如我们没有哲学的倾向，就这么了事，再想不到人为什么要作贼等等的问题。假如那贼竟苦苦哀求起来，说他之所以作贼的原故，因为母老妻病，子女待哺，无处谋生，迫于不得已而为之。没哲性的人，对于这种吁求，也不见有甚良心上的反动。至于富于哲性的人，就要问为什么作贼也是不得已而为之？天下不得已而为之的事有多少？为什么社会没得给他工作？为什么子女这样多社会不帮他养活？这种犯罪的行为，是由于社会的驱策，还是由于个人的堕落？为什么社会不准穷人偷？为什么他没有我有？他没有我有是否应该？拿这种问题，逐一推思下去，就成为社会哲学。譬如说个人犯罪应该由个人负责——"饿死事极小，失节事极大"——这是一种意义。譬如说个人犯罪应该由社会负责——恶社会逼人上梁山——那又是一种意义。又如

从贫富不均的意义上着想，也许可以得着蒲鲁东（Proudhon）一派的"财产是贼赃"的主张，这又是一种意义。这三种公式便成了三派的社会哲学。

这两个例大概可以说明哲学的定义和哲学与人生的关系了。哲学并不是什么神秘的东西，哲学只是用想象力来把人生的活问题的意义想象出来，一层进一层，直到一个最广最普遍的意义，可以用来解释具体的问题的。凡能如此的，便是哲学家。哲学并不是几个大学哲学教授的专利品。康德以前的大哲学家都不是大学教授，他们只是好学的人，遇着了切要的问题，想到根本的意义上去，如是而已。

哲学如果变成教授的饭碗，一定不会真确的。因为研究者关起门来，而在以往的哲学书中找一些七零八碎的把戏罢了。真正的哲学，决不会像这样容易。中国的孔子、孟子、墨子、庄子，他们的哲学决不是从哲学书里得来的，而成为一时的哲学家。在西洋哲学家中，我们也可以找着许多没有当过大学教授的大哲学家，如洛克、柏克雷、弥儿父子、斯宾塞、达尔文等。他们的哲学都是从研究人生种种切要问题而随时发现的，并不是终日坐在房间里看看哲学书和乱想出来的。真正有价值的哲学，都应当筑基础于人生上；真正有价值的哲学家，都应当在人生问题上作过一番功夫。墨子的兼爱观念、耶稣的博爱观念，都是那时候的社会环境促成的。那末，我们就不能够不承认他们的哲学是与人生有关系的了。凡是古代的哲学家，都是这样的。

我们既晓得什么叫人生，什么叫哲学，而且略会看到两者的关系，现在再去看意义在人生上占的什么地位。知识有两方面，一面是事实，一面是意义。意义是了解事实的工具，因为意义就是事实的"为什么如此"。现在一般的人多数是饱食终日，无所用心，专门只在表面上考究。他们看人生种种事实，如同乡下人到城里来看见五光十色的电灯一样，只看到事实的表面，而不了解事实的意义。因为不能了解意义的原故，所以连事实也不能了解了。这样说来，人生对于意义，极有需要。不知道意义，人生是不能了解的。宋朝朱子这班人，终日对物格物，终于找不到着落，就是不从搜集意义上着想的原故。又如平常人看见病人种种病象，他单看见那些事实，而不知道那些事实的意义，所以莫名其妙。至于这些病象一到医生眼里，就能对症下药，因为医生不单看病象，还晓得病象的意义的原故。因此了解人生不单靠事实，还要知道意义。

意义从那里得来呢？有人说，意义有两种来源：一种是从积累得来，是愚人取得意义的方法；一种是由直觉得来，是大智取得意义的方法。积累的方法是走笨路；用直觉的方法，是走捷径。据我看来，欲求意义唯一的方法，只有走笨路，就是日积月累地去作刻苦的功夫。直觉不过是熟能生巧的结果，所以直觉是积累最后的境界，而不是最初求知识的法门。大发明家爱迪生有一次演说，他说天才是百分之九十九的汗下百分之一的神来。天才是下了番苦功才能得来，不出汗决不会出神的。所以有人应付环境觉得难，有人觉得易，就是日积月累的意义多寡而已。哲学家并不是什么，只是对于人生所得的意义多点罢了。

哲学史的研究却也可以供给我们一些意义。照我个人的见解，研究哲学史至少有下述的四种重要而显明的利益。

（一）我们可以知道我们的先知先觉研究人生问题，高明到什么地步，荒谬到什么地步。

（二）我们可以知道各种学说的成功、失败，改革和修正。

（三）因此，我们可以知道人类的思想是进化的、变迁的和能够改良的。

（四）人类的思想既是千变万化，那末，我们可以知道人生问题绝不是一种学说或原理能够解决的。

最后我要举两个大哲学家来作我们应付人生问题的模范。一个是古代哲学的开山祖师苏格拉底，一个是近世哲学的开山祖师笛卡儿。

苏格拉底看不过当日雅典人过的醉生梦死的生活，常常走去诘问人为什么要这样、为什么要那样——就是教人去寻求生活的意义。他最恨人强不知以为知，他常常说他自己也是一无所知的，但他自己知道他不

知道,而别人不知道他自己不知道。他时时诘问人,时时叫人受窘,所以有许多人痛恨他,后来竟有人控告他"不信国教,诱惑青年"两大罪,法庭上竟定他死罪,叫他服毒药而死。他死的非常光明磊落,非常从容不迫。他牺牲了他的生命,为的是他深信"不曾省察过的生活,是不值得活的"。

笛卡儿旅行的结果,觉到在此国以为神圣的事,在他国却视为下贱;在此国以为大逆不道的事,在别国却奉为天经地义。因此他觉悟到贵贱善恶,是因时因地而不同的。他以为从幼积下来的许多观念智识,是不可靠的,因为它们多是乘我们思想幼稚的时候侵入来的。如若欲过理性生活,必得将从前积得的智识一件一件地怀疑过,用怀疑的态度,去评估它们的价值,重新建设一个理性的是非。他这怀疑的态度,就是他对于人生与哲学的贡献。诸君不要怕,真有价值的东西,决不为怀疑所毁;而能被怀疑所毁的东西,决不会真有价值。我希望诸君实行笛卡儿的怀疑态度,牢记苏格拉底所说的"不经省察过的生活,是不值得活的"这句话。

科学的人生观

今天讲的题目，就是"科学的人生观"，研究人是什么东西，在宇宙中占据什么地位，人生究竟有何意味？因为少年人近来觉得很烦闷，自杀、颓废的都有。我比较至少多吃了几斤盐，几担米，所以来计划计划，研究自身人的问题。至于人生观，各人不同，都随环境而改变，不可以一个人的人生观去统理一切；因为公有公理，婆有婆理，我们至少要以科学的立场，去研究它，解决它。"科学的人生观"有两个意思：第一拿科学作人生观的基础；第二拿科学的态度、精神、方法，作我们生活的态度，生活的方法。

现在先讲第一点，就是人生是什么，人生是啥物事？拿科学的研究结果来讲，我在民国十二年发表了十条，这十条就是武昌有一个主教，称为新的"十诫"，说我是中华基督教的危险物。十条内容如下：

一、要知道空间的大 拿天文、物理考察，得着宇宙之大；从前孙行者翻筋斗，一翻翻到南天门，一翻翻到下界，天的观念，何等的小？现在从地球到银河中间的最近的一个星，中间距离，照孙行者一秒钟翻十万八千里的速率计算，恐怕翻一万万年也翻不到，宇宙是何等的大？地球是宇宙间的沧海之一粟，九牛之一毛；我们人类，更是小，真是不成东西的东西！以前看得人的地位太重了，以为是万物之灵，同大地并行，凡是政治不良，就有彗星、地震的征象，这是错的。从前王充很能见得到，说："一个虱子不能改变那裤子里的空气，和那人类不能改变皇天一样。"所以我们眼光要大。

二、时间是无穷的长 从地质学、生物学的研究，晓得时间是无穷

的长。以前开口五千年，闭口五千年，以为目空一切；不料世界太阳系的存在，有几万万年的历史，地球也有几万万年，生物至少有几千万年，人类也有二三百万年，所以五千年占很小的地位。明白了时间之长，就可以看见各种进步的演变，不是上帝一刻可以造成的。

三、宇宙间自然的行动 根据了一切科学，知道宇宙、万物都有一定不变的自然行动。"自然自己，也是如此"，就是自己自然如此，各物自己如此的行动，并没有一种背后的指示，或是一个主宰去规范它们。明白了这点，对于月蚀是月亮被天狗所吞的种种迷信，可以打破了。

四、物竞天择的原理 从生物学的智识，可以看到物竞天择的原理。鲫鱼下卵有几百万个，但是变鱼的只有几个，否则就要变成"鱼世界"了！大的吃小的，小的又吃更小的，世界都是如此。从此晓得人生不受安排，是自己如此的行动；否则要安排起来，为什么不安排一个完善的世界呢？

五、人是什么东西 从社会学、生理学、心理学方面去看，人是什么东西？吴稚晖先生说："人是两手一个大脑的动物，与其他的不同，只在程度上的区别罢了。"人类的手，与鸡、鸭的掌差不多，实是它们的弟兄辈。

六、人类是演进的 根据了人种学来看，人类是演进的；因为要应付环境，所以要慢慢地变；不变不能生存，要灭亡了。所以从下等的动物，慢慢演进到高等的动物，现在还是演进。

七、心理受因果律的支配 根据了心理学、生物学来讲，心理现状是有因果律的。思想、作梦，都受因果律的支配，是心理、生理的现象，和头痛一般；所以人的心理说是超过一切，是不对的。

八、道德、礼教的变迁 照生理学、社会学来讲，人类道德、礼教也变迁的。以前以为脚小是美观，但是现在脚小要装大了。所以道德、礼教的观念，正在改进。以二十年、二百年或二千年以前的标准，来判断二十年、二百年、二千年后的状况，是格格不相入的。

九、各物都有反应 照物理、化学来讲，物质是活的，原子分为电子，是动的。石头倘然加了化学品，就有反应，像人打了一记，就有反动一样；不同的，只在程度不同罢了。

十、人的不朽 根据一切科学智识，人是要死的，物质上的腐败，和猫死狗死一般。但是个人不朽的工作，是功德：在立德、立功、立言。善恶都是不朽。一块痰中，有微生物，这菌能散布到空间，使空气都恶化了；人的言语，也是一样。凡是功业、思想，都能传之无穷；匹夫匹妇，都有其不朽的存在。

我们要看破人世间时间之伟大，历史的无穷，人是最小的动物，处处都在演进，要去掉那小我的主张。但是那小小的人类，居然现在对于制度、政治各种都有进步。

以前都是拿科学去答复一切，现在要用什么方法去解决人生，就是那种生活？各人有各人的方法，但是，至少要有那科学的方法、精神、态度去作。分四点来讲：

一、怀疑 第一点是怀疑。三个弗相信的态度，人生问题就很多。有了怀疑的态度，就不会上当。以前我们幼时的智识，都从阿金、阿狗、阿毛等黄包车夫、娘姨处学来；但是现在自己要反省，问问以前的智识是否靠得住？有此态度，对于什么主义都不致盲从了。

二、事实 我们要实事求是，现在像贴贴标语，什么打倒田中义一等，都仅务虚名，像豆腐店里生意不好，看看"对我生财"泄闷一样。又像是以前的画符，一画符病就好的思想。贴了打倒帝国主义，帝国主义就真个打倒了么？这不对，我们应作切实的工作，奋力地作去。

三、证据 怀疑以后，相信总要相信，但是相信的条件，就是拿凭据来。有了这一句，论理学诸书，都可以不读。赫胥黎的儿子死了以后，宗教家去劝他信教，但是他很坚决地说，"拿有上帝的证据来！"有了这种态度，就不会上当。

四、真理 朝夕的去求真理，不一定要成功，因为真理无穷，宇宙无穷；我们去寻求，是尽一点责任，希望在总分上，加上万万分之一。

胜固是可喜,败也不足忧。明知赛跑,只有一个人第一,我们还要跑去,不是为我为私,是为大家。发明不是为发财,是为人类。英国有一个医生,发明了一种治肺的药。但是因为自秘,就被医学会开除了。

所以科学家是为求真理。庄子虽有"吾生也有涯,而知也无涯,以有涯逐无涯,殆已"的话头,但是我们还要向上作去,得一分就是一分,一寸就是一寸,可以有亚基米特氏发现浮力时叫 Eureka 的快活。有了这种精神,作人就不会失望。所以人生的意味,全靠你自己的工作;你要它圆就圆,方就方,是有意味;因为真理无穷,趣味无穷,进步快活也无穷尽。

道 德 教 育

究竟什么叫作道德？

诸位都曾读过韩愈的《原道》，他说：

> 博爱之谓仁，行而宜之之谓义，由是而之焉之谓道，足乎己，无待于外之谓德。仁与义为定名，道与德为虚位。

这话怎么讲呢？其实他对于这四个字，只有"博爱之谓仁"勉强可算是有内容的定义。"行而宜之"岂不也是很空泛的虚位吗？况且我们读《论语》的人，看孔丘说"仁"字有许多种的说法；墨翟主张兼爱，孟轲不但不赞他为"仁"，还要骂他是禽兽。其实兼爱与博爱有何不同？由此看来，"仁"字也是一种虚位了。所以我们觉得韩愈应该说："仁义道德都是虚位，都不是定名。"我们现在可以借用韩愈的话头来下道德的"虚位"的定义：

> 由是而之焉，而宜之，之谓道。足乎己，无待于外，之谓德。

翻成白话，就是：正当的行为，就叫作道。正当行为的结果，成了个人的正当品格，不须勉强，自然出来，就叫作德。

那么，我们又要问：怎么样才是"正当"呢？这两字最难说。我们要晓得，道德是变迁的，是随时随地变迁的。今日的正当，未必是千百年前的正当；这里的正当，未必是那里的正当。譬如说谎是不正当的，然而我们又说"兵不厌诈"；有时你的朋友病危的时候，他家中死了人，你定要瞒着他；有时小孩子不肯吃药，你定要哄他是糖。有时戏园对面失火，园主人若老实说火起了，看客一定纷纷逃走，挤死跌死；园主人只从从容容地走出台前，说："今天谭老板病倒了，不能登台，明天补唱。"大家慢慢散出，才知道园主人说谎救人，然而大家决不怪

他说谎的。又如杀人是不正当的,但是我们何以又称颂那许多暗杀的烈士呢?又如造反向来叫作叛逆的行为,是不正当的;现在我们叫它作革命,便觉得正当了。又如放火是不正当的,但是前三年北京学生放火烧曹汝霖的房子,我们总觉得一种痛快;又如前几年东三省防疫的医官为防止传染起见,烧了许多染疫的房屋与街道,我们也觉得它是正当的。又如喝酒,陶潜、李白、杜甫一班诗人多把酒醉看作解忧除闷的圣品,会喝酒的叫作"酒仙""酒圣";"古来圣贤皆寂寞,唯有饮者留其名。"但是现在西洋有许多文明国家,竟把酒完全禁止了。又如鸦片烟在十几年前是敬客的上品,现在是犯罪的禁品了。又如男娼,乾隆、嘉庆时代的状元宰相公然承认这是"韵事",诗人作歌称赞男妓,小说家作小说称赞小旦;但是十年来这种风俗也禁绝了。最可注意的是,五十年前曾国藩、左宗棠是中兴的大功臣,五十年后便有许多人骂他们是汉族的罪人了。二十年前康有为对清室是"逆臣",对国人是维新的领袖;二十年后康有为对清室是忠臣,对国人是守旧的复辟党了。

这并不止是平常所谓"守经"与"达权"的问题,这是道德的性质的问题,是道德的中心问题。荀卿说的最好:"人无动而不与权俱。"权是一个秤锤。道德本无定名,只是虚位,就如那秤上的星点一样。道德的生活是随时随地求个正当的生活,就如那秤上的提绳一样,故说"人无动而不与权俱"。假如天下的道德都是不变的,都是不须随时随地去求个正当的,那末我们只消凭着理想作一部《道德经》,或一部《道德教科书》,就可以施诸四海而皆准、行诸万世而不惑了。道德教育就不成问题了。无奈人事是复杂的、变迁的、个别的。因为复杂,故没有简单的应付;因为变迁,故没有刻板的标准;因为个别,故没有根本的解决。明末高攀龙说得好:

> 唯权乃所以为经也。非权则经不可用矣。经,譬之称也;权,则称锤也。称一定不可移(即我说的那秤上的星点,还即是虚位,并非真一定不可移)。权则随轻重而定。故权字即时字也。(《东林论学语》上)

我们现在可以下"道德的定义"如下：依着个人的智慧的光明，对于那复杂、变迁、个别的人事问题，在行为上随地随时作相当的应付，这就是道。这种行为，久而久之、习惯了、圆熟了、不须勉强了、成了品性了，这就是品格的养成，这就是德。

现在我们可以讲"道德教育"了。

向来中国人的道德教育有三种：

第一，大多数人的道德教育完全是不名道德教育的道德教育。他们不认得什么"修身"、"正心"、"伦理"；他们也不晓得什么"性"、"仁"、"良知"、"主敬"。他们的智慧是很有限的，他们的生活问题也是很有限的。他们用那有限的经验与知识来应付那有限的生活问题——一点一滴的活知识，用在一点一滴的活问题上——居然也往往有很正当的行为，居然也往往养成很正当的品格。

第二，还有少数的人，想从书本子里得着一种道德教育。他们谈心、谈性、谈良知良能、谈正心诚意、谈主一主敬、谈修身、谈道德仁义。然而这种道德教育的效果可实在不多。有时候，他们用强制的方法，立功过格，写座右铭，至多也不过成一种束身自保的道学先生。有时候，这种功夫完全当不得一个粉面村姑娘的一盼，也禁不住一只大元宝的光焰。比较上，功效最大的还是一部《觉世真经》、一部《太上感应篇》、一篇《阴骘文》。清朝的刑名大家汪辉祖，学问总算是好的了，然而他自己说他一生所以不敢作恶事，全靠他每天早起念三遍《感应篇》。其实何止汪辉祖一个人，一部《正谊堂全书》（清张伯行编刻，为程朱一派的理学书的最大结集）那里比得上这一小本《太上感应篇》？这种书本子里的道德教育，充其量不过是一班《感应篇》的信徒。他们不敢作恶事，因为怕近报在己身，远报在儿孙；他们也作点好事，因为他们要积点阴骘，延寿一纪，贵子双生。天下的大傻子也出在他们里面，天下的大奸巨猾也出在他们里面。最大的成绩也不过几个"不求有功，但求无过"的好好先生。若想单靠这种道德教育就可以产出一些能作大事的王守仁、曾国藩，那是没有希望的。

第三，到了晚近的时期，一些谈教育的人提出"三育"的名称——体育、智育、德育——在学校的课程里分出一两点钟来，专教"德育"。小学里叫作读经与修身，中学以上叫作读经与伦理。这种教育的效果，我们也看见了。学生见了这种功课，觉得毫无趣味，打瞌睡的打瞌睡，看小说的看小说。即使用功的学生把一部修身教科书记得烂熟，考试时得着个一百分，究竟于学生的行为上有什么用处？况且我们既把"德育"特别提出，列为一个独立的学科，那么，其余的学科——国文、历史、地理、数学、理化、博物等——明明也是可以宣告独立的了。当初提倡"三育分立"的人，本意是抬高"德育"，不料反把"德育"降为一种极讨厌的科目。

以上这种道德教育的方法，我们若用成绩来批评它们，自然要算第一种"不名道德教育的道德教育"的成绩最大了。我们中国的背脊骨，还须靠这一班真有道德的老百姓。其余那两种"自命道德教育的道德教育"，却不曾有什么可以使人心服的成绩。这种比较，使我们明白一个教训：

用"道德教育"来教道德，远不如不用"道德教育"来教道德。

换句话说，就是：

直接教道德，远不如间接教道德。

再说的骇人一点，就是：

教道德，远不如不教道德。

"间接教道德"就是用经验与知识来应付生活的问题。这虽不是教道德，而结果却是一种最有成效的道德教育。

那么，我们难道应该完全效法这种自然的、不自觉的道德教育吗？这又不然。这种不自觉的道德教育很有流弊：

（1）因为不自觉，往往知其然而不知其所以然。（下缺）

女子问题

这题是临时加入的。我到安庆,有一部分学生要求讲这问题,这也是很重要的一件事,我愿意抽时间出来和诸位讨论。

一、"半身不遂"的病

人类有种"半身不遂"的病,先中了风,一部分就麻木起来。这种人半身失了效用,是可怜的。诸位!我们社会也害了几千年"半身不遂"的病,难道就让它永远害下去,不来医治它?

女子问题的发生,正是因为我们觉悟了,我们求医治。我们不愿永久害这"半身不遂"的病。

二、人

世界上分男女,习惯上多半让男子发展,却剥夺女子的自由。这也是"半身不遂"病。

社会上生了"半身不遂"的病,当然不如健全的社会了;女子问题发生,才给我们觉悟,不再愿意牺牲这一半"人"的天才,却要使女子也都成为社会有用的分子。社会上增加一倍的人来共同担负社会的事业。男子要成社会上健全的个人,女子也要成社会上健全的个人。

我们从前,总不将女子当作人,将女子当作父之女,夫之妻,子之母。有些提倡女子教育的,他们也不过想造就些良妻贤母出来。在历史上看去,只有孝女、贤女、烈妇、贞妇、慈母、贤母,却没有见过女人。试问诸位在历史上见过了女人没有?

良妻贤母固然重要,但却要进一步说:女子愿作良妻贤母的,可以就去作他的良妻贤母;不愿作良妻贤母的,依然可以作堂堂的"人"。

所以女子问题的先决,不在良妻贤母,却是"人"的问题。

三、消极和积极

女子问题可以分作两部讲:1. 解放;2. 改造。

解放是消极的,对待当然还有束缚;解放是消除女子的手镣足铐,让女子尽量去发展。

改造是积极的,增加一切可以帮助女子发展的好势力;用种种方法,使女子自由发展,成为一个健全的人。

四、解放

解放分两部:1. 形体的;2. 精神的。

先从形体方面讲。从前,男子总拿女子当作玩物,女子也自以为是应该给男子玩的"玩物"。所以男子拿了许多不自由的刑具,硬加在女子身上。最明显的:

A. 缠足;B. 束胸。

我到安庆,在大街小巷中所见的女子,除去少数受过教育的不算,几个女子没有缠足?这种最初级的还没解放,其余更可知了。这一种天足运动都不生效,我希望谈解放的,以后可以闭口。

我有一个医院里的朋友,他和我说过:"再过几年以后,女子都不能作人的母亲了。"他的意思,女子束胸,压住乳房,很碍卫生的。

在座女界诸君,也曾注意到这两层浅近的解放吗?

再说精神方面。精神的解放,比形体上解放还要重要些。几千年来,男子百方专制,造成压制女子、诱骗女子、束缚女子的许多邪说。这些邪说都是女子精神上的手镣足铐。要求女子真正解放,非打断这些手镣足铐不可。

精神上的一切束缚邪说很多,一时也说不完,姑且先就重要的说罢。

(一)女子不能为嗣 中国古代,最重要算"后"。孟子说:"不孝有三,无后为大。"也要证明的——女子却不可当作后嗣。家中多了财产,没有儿子的,必定先向本家哥哥或是兄弟借一个儿子来当后嗣,承受财产。女子决不能承受财产的。这虽是因女子不能经济独立的原因，当在这青黄不接的时候，决不可不打破这种不道德的事体。有一个人，他有两个女儿，没有儿子；到临死时，分财产作三份，两个女儿各得一份，一个过继的儿子，也得了一份。但是许多人都说他不对，现在他们本家还在那打官司，没有了结呢！诸位，这种现象不危险吗？我们要破这一层关，只有使女子经济独立。

（二）女子贞操问题　什么叫作贞操？贞操是男女双方感情浓厚，不愿再拿爱情及于第三者。依新道德说，男女都应守贞操。但是，在历史沿习，男子可以嫖，可以纳妾；女子不但不能和人私通，反而要受种种限制。大概总以牌坊，县知事磕头上香，表彰，作诱导的东西，叫女子守节，一部分人因此受了诱。"贞操"两字，在社会上简直是杀人不抵命的东西。其实，贞操本双方的，因此男子嫖和女子通奸，罪是相等的。所以男子可命女子守节，女子就可命男子守节；男子可以娶姨太太，女子就可以娶姨老爷。晋朝谢太傅（安），晚年忽然想纳妾，但是他夫人却凶猛不过。谢安说公例可以纳妾，他夫人却说，公例虽可纳妾，婆例却不可。历来女子的被束缚，正坏在"公例"二字上。简单说去，贞操是根据爱情的，是双方的，男子可以不守节，女子也可以不守节的。虚伪贞操可以打破。

（三）女子责在阃内说　女子责在家庭内这种学说，也是一根很坚固的铁索，不将它打断，不配说解放的。历史上说法，女子总在家内抱孩子、洗衣、烧饭，男子却可自由发展。其实，女子中也有许多能作学问的，有很好的天才；男子中也有许多许多只配抱孩子洗衣烧饭的。并且有许多事实，只有女子能作，却是男子不能作的。我们要让女子发展他的天才，决不可将他藏在家内，养成了良妻贤母的。女子中未始不有一二不足求学的，但总不可因一二而及于全部分的。除了这一二个女子，我们总要让女子尽量发展。

（四）防闲的道德论　古人对于女子总存一种怀疑的态度，因此就有防闲的道德。现在男子对女子依然用防闲道德。我听说此地讲演会里

有些女学生办事，于是社会上就起了非难，说了许多闲话。其实，防闲何尝是道德？譬如关一个雀子到笼里，它只要得一点空，赶忙就要飞逃的；即使不逃，一年后也定要闷死。这是一定的道理。我国留学生常常闹了许多笑话：有一个女子和他握手在交际场中，他便一天说到晚，某女子有意于我了。这都为不常和女子接触的原故。我还记得一个故事：一个山僧，养了一个孩子，保护他的天真，使他不知道世故，染不到恶习，将来成一个完全的和尚。一年，他那徒弟有十八九岁了，他便带他下山，见见世面。那知那徒弟一事不知，问牛问马，问草问木，老和尚都告诉了他。到后来又遇到了一个花衫女子，小和尚问是什么，老和尚说是吃人的老虎。后来回山，老和尚问小和尚这一天所见，喜欢什么？小和尚只是微笑地说："喜欢吃人的老虎。"由此可知，防闲道德，最不道德。我国学生，何以有许多不道德？还是因为防闲太过罢了。平心而论，完全自由，也有流弊；不过，总不可因噎废食，绝不可以一二人堕落而及全部。自由的危险，没有别的法子可以防闲，只有一个法子：给他们更多自由。因为患流弊而禁止自由，则流弊更深而不自由了。并且社会应持忠恕的态度。张小姐闹事，仍是张小姐；李小姐闹事，仍是李小姐。绝不能因张小姐、李小姐闹事，却怪到旁人身上的。所以我承认防闲是极不道德的。

五、改造

改造在女子问题中，比较要简单些。解放，是从外面下手的；改造，却是从内外两方面下手的。

改造也可分两部说：一、外面的设备——教育；二、内部的改造。教育姑且留着不说，只谈内部女子本身的改造吧。

我们要认清目标，才可作去。目标有三：自立的能力，独立的精神，先驱者的责任。

（一）自立的能力　女子问题第一点在那里？就在自立。就说嫁吧，总要说高攀，这便是不能自立的表征。我觉得女子要作人，先要自立；不能自立，决不能解放奋斗的。

（二）独立的精神　这名词是老生常谈的。我的意思：精神上不怕社会压制，不怕社会反对，硬是要干。如此的时代，谈解放是很不容易的；唯有不顾社会非难，可以独行其是。

（三）先驱者的责任　作先锋的责任，很是重要。我们一举一动，在社会上都很受影响的。先驱者的责任，在无私德有公德。总不要使个人行为，在女子运动上增一污点。

我最不相信道德的，然为此起见，我不得不相信。我们提倡废考，不如提倡严格考试。正如我们提倡自由恋爱，不如提倡独身主义。如是，女子问题或者可以了决！

中国历史上妇女的地位

一

中国的妇女,一般给人以这样一种概念:在社会上总是处于非常低的地位。不过本文的宗旨是试图说明一种截然不同的情况,就是说中国妇女尽管受到传统的压迫,还是显示了他们是具有树立起自己应该占有地位的能力的。我们必须认识到,这样才是公正的。如果要问,说明这些史实的用意何在?简单地说,就是:即使在中国,压迫妇女也是办不到的。

首先,我想引用《诗经》中饶有兴味的两段记载:

乃生男子,载寝之床。
载衣之裳,载弄之璋。
其泣喤喤,朱芾斯煌,室家君王。

乃生女子,载寝之地。
载衣之裼,载弄之瓦。
无非无仪,唯酒食是议,无父母诒罹。

《诗经》是一部公元前8世纪以前描写我国古代社会生活最丰富和最可靠的史实记载。这里描写得这样坦率地偏爱儿子,轻视女儿,再不需要作任何的辩解和说明了。这是社会上各阶层女性常常必须面对的,属于社会学和人类学的简单事实。为反抗这种不怀善意的背景，女子必须奋起斗争，并逐渐在家庭里和较大的社会范围内赢得一席之地。

中国古代妇女在政治生活中曾起过重要作用。孔子说过周朝十位创业主中，有一位是女性。他没有具体说他姓甚名谁，也没有说他作了什么事；但在西周早期历史的颂歌中，我们可以读到对伟大女性的高度颂扬，颂扬他们在氏族的发展过程中起了巨大的促进作用。实际上史诗的描述一直可以追溯到这一氏族起源的传说：一位未婚女子由圣灵感应而怀胎，生下一子，日后他教民耕种，成为这个伟大氏族——西周的创始者，他就是后稷。可能居住在我国西边的氏族中妇女享有一种特殊的崇高地位。在他们的类似历史记载的诗歌中，歌颂他们伟大的统治者时，几乎常常是连他们的妻子一起提到的。太王和他的妻子一起迁移，有一首诗歌是对太季与妻子太妊结婚庆典的颂歌。对周文王的妻子太姒的赞美，可以说是这些颂歌中最美好的一首。太姒生了十个才能出众的儿子，其中之一征服了殷纣，开创了长达八百年的周朝。另一个儿子周公，是一位伟大的将军和政治家。

不过周朝后来的历史中，妇女所起的部分作用似乎常常是不好的。公元前721年，西周亡于西戎之手，历史把这一事件归咎于一个女子褒姒。一首诗中这样记载着：

　　赫赫宗周，褒姒灭之。

正史中没有记载褒姒究竟是怎么使周朝遭到灭亡之祸的，但他必定是一位真正的奇特女子，居然能摧毁一个伟大的王朝。在另一首诗歌中这样写道：

　　哲夫成城，哲妇倾城。
　　懿厥哲妇，为枭为鸱。
　　妇有长舌，维厉之阶。
　　乱匪降自天，生自妇人。

这是对女子的谴责，同时又明显地表示了当时女子所起的重要作用。女子必须事先处于一个十分重要的地位，才能够起到摧毁一个城市或一个

国家的作用。

综览中国历史，有很多著名的妇女，他们在政治上的成就，不仅仅是由于他们处于皇后或太后的身份。一个不具备卓越才能的平庸之辈，虽然高居王位，也不可能会有什么成就。而这些中国妇女，他们在历史上取得令人敬重的地位。战国时齐国的王后曾执政近四十年，由于他在处理内政和外交时的谨慎明智，使齐国在一定时期内保持稳定局面，避免了公元前3世纪那场曾使不少国家遭到毁灭的战争苦难。有一次有人故意难他怎样才能解开一对玉连环？他要来椎子，边砸边说："我把它解开了。"

汉朝立国四百年，两位女性起了重要作用。一位是开国皇帝汉高祖的妻子吕后（公元前180年卒）。他来自民间，没有受过教育，但他是一位机智能干、行动果断而又残酷无情的女子。是他除掉了位高权重，已危及汉王朝的两位大将韩信和彭越。再一位就是窦后（公元前135年卒），他也同样来自民间，掌权四十五年。他是老子无为而治政治哲学的信奉者，要求他的儿孙们和他娘家的亲属们学习老子的哲学和其他道家著作。通过他丈夫和儿子的长期在政治上宽松自由和经济上严格谨慎的政策，使人民能够从受到长期战争之苦的影响中恢复过来，发展他们各自的能力。在他统治的末期，帝国已经高度繁荣兴旺，政府受到人民爱戴。所以他的孙子武帝继位以后，才有可能使汉王朝发展到鼎盛时期。

唐朝最兴盛的时代，有一位著名的女性武曌，占据统治地位达四十五年（公元660—705年），在他统治的一段时间里，他干脆宣布他不再是唐朝皇后摄政，而是一位新建的周朝的统治者，共统治了十六年。他是一位具有卓越的文学才华和政治能力的女性。由于他的长期统治，使盛唐时期疆域扩张，文化得到发展。

我不打算继续列举那些曾经统治庞大帝国的皇后们和毁灭伟大王朝的宠妃们了。我觉得我所说的已经足以说明中国的妇女没有被排除在政治生活之外，在国家漫长的历史上，他们曾经起过不可忽视的作用。

二

在非政治生活领域中，中国的女子也同样有着卓越的、令人尊敬的成就。其中最受人称颂的是淳于缇萦。汉朝废除肉刑，是他起了重要作用。他的父亲是当时著名的医学家，曾被人诬告并受到肉刑拷问。他父亲有五个女儿，没有儿子。这位老医学家在去服刑的路上对女儿们说：我很不幸，只有女儿，没有儿子，以致无人能在我需要的时候助我一臂之力。他最小的女儿缇萦听了以后，决心要救援父亲，一路跟随到京城，向皇上请求，自己愿意没入宫中为奴，以赎减将置父亲于死命的肉刑。他的恳求感动了文帝的仁慈之心，于公元前167年亲自颁布了那一道著名的废除肉刑的敕令。

在学术文化界，中国女子常有重大的贡献。西汉初期的几十年中，上古时代传下来的经书是通过逐字传授才得以流传的。五经之一的《尚书》是由一位女子承担了保护古本，并逐字传授才得以流传下来的。三百年以后的公元92年，伟大的历史学家班固被囚，死于狱中；他的不朽名著《汉书》还没有完成。是一位女子，他的妹妹班昭奉命继续他未竟的事业，从而圆满地完成了这部伟大的著作。班昭还对当时的大学者马融传授了怎样阅读《汉书》，才使这部著作能刻印问世。班昭还奉诏进宫作皇后和嫔妃们的老师。公元105—121年邓皇后掌权摄政时，他在邓后身边，成了类似政治顾问的人物。在保存下来的他的著作中，《女诫》七篇是最著名的。在这些篇章中，他教人以谦让的美德；但他也提倡妇女受教育。他说："现在的君子们，只让他们的儿子受教育，忽视对女儿的教诲，是对男女之间除了性别不同外，其他都一样这一点缺乏了解。按照传统，男孩子八岁时就教他读书，到十五岁时就会获得不少知识。我们就不能以同样的办法对待女孩子吗？"这样的呼声，今天听来仍然感到十分温暖；但他在公元100年时说出这番话

来，是需要很大的勇气的。

中国文学史上最负盛名的一位女子是李清照。公元1081年他出生于济宁，是学者赵明诚的妻子，死于公元1140年。他的父母都是著名文人。他自幼在这种儒雅高尚的书香环境中成长，擅长写散文和诗，特别引人瞩目的是他的词——用当时流行的曲调填写的歌词，不过他对当时大量的诗歌的评论是非常严格的。他自己写的诗歌只有很少数保存下来，得到与他同时代人的高度赞扬。最负盛名的词人辛稼轩曾公开承认说他的词有时是模仿李清照的风格写的。

李清照可说是中国历史上最负盛名的女子之一。他常常坦率地毫不掩饰地描写他的爱好、快乐和忧伤的真实生活。为说明他的坦率，我举个例子，引用他写的一篇《打马图经自序》中的一段话：

予性喜博，凡所谓博者皆耽之，昼夜每忘寝食。且平生随多寡未尝不进者何，精而已。自南渡来流离迁徙，尽散博具，故罕为之，然实未尝忘于胸中也。

在为他丈夫赵明诚编纂的《金石录》写的《后序》中，同样写得很坦率。这篇序展示在我们面前的是一对幸福的夫妻亲密无间生活的一幅非常迷人的写照。我引用几段以便说明在一个博学的家庭里，一位受过教育的妻子所处的地位：

余建中辛巳，始归赵氏。……侯年二十一，在太学作学生。赵、李族寒，素贫俭。每朔望谒告出，质衣，取半千钱，步入相国寺，市碑文果实。归，相对展玩咀嚼，自谓葛天氏之民也。

后二年，……丞相居政府，亲旧或在馆阁，多有亡诗、逸史、鲁壁、汲冢所未见之书，遂力传写，浸觉有味，不能自已。后或见古今名人书画，三代奇器，亦复脱衣市易。尝记崇宁间，有人持徐熙《牡丹图》，求钱二十万。当时虽贵家子弟，求二十万钱，岂易得耶！留信宿，计无所出而还之。夫妇相向惋怅者数日。

后……连守两郡，竭其俸入，以事铅椠。每获一书，即同共勘校，整集签题。得书、画、彝、鼎，亦摩玩舒卷，指摘疵病，夜尽一烛为率。故能纸札精致，字画完整，冠诸收书家。

余性偶强记，每饭罢，坐归来堂，烹茶，指堆积书史，言某事在某书、某卷、第几叶子、第几行，以中否角胜负，为饮茶先后。中即举杯大笑，至茶倾覆怀中，反不得饮而起。甘心老是乡矣。

这是一幅多么美好的生活画面，它展示了12世纪初中国人的家庭生活，看到的是完全的平等，智力相等、共同合作的伴侣，美满幸福的小家庭。这画面实在是太美了，以致绝大多数中国人的家庭达不到这样的境界。实际上无论在东方或是西方，所有各地的绝大多数的家庭都达不到这样的境界。这是一则非常有趣、极富人情味的文献记载，它告诉我们至少有些中国女子曾经有过使我们现代人仍感到非常羡慕的、一定的地位。

三

常会遇到这样的问题，中国古代有多少女子可以说是受过教育？接受这种文学教育的女子占多少比例？

这问题还不能作出令人满意的回答。不同地区的不同家庭有各不相同的受教育机会。书香门第的人家，常常给予家庭成员中的女子以基本的文学教育。贫穷和没有文化的家庭中的女子，要长得特别聪明有才华，才能得到学习读书写字的机会。此外，确切地说，生长在长江三角洲一带的女子比起其他地区来，有较多的受教育的机会。再就是使女子受教育的风气似乎在逐渐地发展，可能开始于公元9世纪印刷术的发明。到近四百年来，由于民间流传的小说中的"才女"，作为女子的理想形象这一概念逐渐被接受，使女子受教育的风气得到更广泛的发展。

大概在十年以前，中国驻罗马原公使钱恂的夫人，刊印了一部内容为三百年来的女作家著作书目。这位年近七旬的女士，为了汇集编纂这册书，化了十年以上的工夫。我曾为他的集子写了一篇序；曾从该书的

目录中试作一统计分析，发现了非常有趣和耐人寻味的结果。首先，该书为我们提供了近三百年来2310名女子的文学作品的书目，其中绝大部分已经刊印。这数字本身对我是个意外的发现。其次，我把这些女作家按籍贯作了分类，得到了如下的结果：

江苏　748人　占32.3%
浙江　706人　占30.5%
安徽　119人　占5.1%
福建　97人　占4.2%
湖南　71人　占3%
江西　57人
直隶　51人
山东　44人
满族　42人
广东　38人
湖北　20人
四川　19人
河南　18人
广西　15人
山西　13人
陕西　10人
贵州　10人
汉军八旗　10人
云南　6人
甘肃　4人
未注明籍贯　212人
总计　2310人

江苏、浙江的比例最高，分别接近总数的三分之一；这两个省加上安徽就超过了总数的三分之二；江苏、浙江、安徽、福建、湖南五省加在一起占总数的四分之三。这些比例几乎和男性文人的地理区域分布相一致，也和其他有著作问世的同一时期历史人物的地理区域分布相一致。所有这些都说明钱夫人的书目著作是代表了全国女性人口受文化教育的分布情况。

第三，我们必须注意到，这三千种著作的目录中，大约百分之九十九是诗作，只有少数著作是数学，医学一种，史学六种，大约有十二种为经学和哲学研究。再次很明显地表示了这些女子所受的是纯文学的教育。这是由于他们受到苛刻的史家们评论的影响，这些人对有文化的大家闺秀们的描写是有时代局限性的。他们吟诗写诗，认为大家闺秀只有这么作才是体面的。大多数女子学绘画，他们当中有的成为有名的画家，那也是文学教育的一部分。

为证实钱夫人的调查研究，我还可提出近三百年来女作家的诗作着实是惊人的。就我所知，这一时期有三部选自女诗人的重要诗集。第一部印于1831年，包括933位女诗人；第二部续集印于1835年，包括513位女诗人；第三部就是钱夫人于1918年编印的，包括309位女诗人。这三部诗集为我们提供了1755位女诗人的名单。此外，这些诗歌大体上是按正规格律写的，人们称它为诗。另一些是按已有曲调填的长短句，也就是所谓词。著名的书籍收藏家徐积余先生近来刊印了一部集这一时期100位女诗人的全部著作的集子。他还刊印了一部近三百年来由783位女子写的2045首诗歌。

四

可能还会有人问起，所有这些文学教育对中国女子能带来什么好处？能使他们在反抗缠足的斗争中取胜吗？能使他们在争取经济上更加独立自主中取胜吗？能使他们自己在家庭里和社会上真正地提高地位吗？

不错，文学教育对于女子来说，并不能使他们去反抗缠足，这正和七百年来理学使中国的思想家们不能明白认识到这种"美化"妇女形象的作法是多么的丑恶和残忍一样；也不是这种表面的教育能使女子在经济上取得更加独立自主。虽然有不少著名的女艺术家的书法、绘画可以卖到相当高的价钱，但没有一位有较高知名度的优秀艺术家，他们写字、作画是为了卖钱的；只有在极端必要时，受过教育的大家闺秀们才肯屈尊出卖他们的书画作品。

不过，文学教育虽然肤浅和不切实际，但是可起到提高妇女地位的效果。乡村里受过教育的男子很少，受过教育的女子就更少，所以更加受人尊重。此外，文学教育至少给他们以开启书本知识的大门，而这是不会引起他们想摆脱束缚或者革命的，倒是有可能使他们成为贤妻良母。"稍有知识是危险的"，这话不见得正确，稍有知识比没有知识强多了。

特别是文学教育，最大的优点是它能使女子成为他们自己儿女们的好老师。中国的女孩子们很少能和男孩子们一样到学校里去读书，这是常事。如果他们的母亲能够教他们读书、写字的基本知识，他们就有了接受教育的较好机会。所以不妨说，近三百年来中国女子受教育的人数有比较快的增长发展，大量的工作成绩是有文化的妇女们自己作出的。

历史充分证明，母亲的教育对他们儿子一生的重要性。中国历史上许多伟大人物的启蒙教育，是从他母亲那里得到的。孟子从他母亲那里获得最初的教诲，孟母择邻已成为非常出名的故事。伟大的政治家和学者欧阳修（公元 1072 年卒），四岁丧父，是他的寡母负起教育他的责任。无钱买纸笔，就用芦苇秆在地上画着写字，教儿子读书识字。近三百年来开创近代学术评论的先驱、著名学者顾炎武（公元 1682 年卒）曾说，他的童贞的母亲，在新婚之夜丈夫病死，此后一直和养子一起过着孀居的生活，并担负起教育养子成人，给养子以历史知识和热爱华夏民族方面的教育。当满族人征服明朝，满族军队接近他的家乡时，他断然绝食十五天，为民族殉节。他死于满族军队占领他居住城市的前一天，对他的养子留下了最后的教诲：绝不许接受异族征服者的任何官职或荣誉。顾炎武在新政权下生活了三十六年，拒绝为新政府作任何事情。他是少数几个最终使满族在中国的统治趋于没落的、堪称伟大的华夏民族气节之父中的一位。

这就是中国妇女受到少许教育以后，对国家的报答。中国妇女曾竭尽全力反抗一切桎梏，为自己在家庭里、在社会上、在历史上争得一席之地。他们曾经管理过男子和统治过王朝帝国；他们曾经收集编纂过丰富的文献和优秀的艺术品；尤其重要的是他们曾教导和塑造自己的子女应该怎样作人。如果他们没有更多的贡献，这可能是由于国家曾经对他们不公平，没有给予他们应得的更多关注。

禀 母 亲

(7月31日)

慈亲大人膝下，谨禀者：

今日接得大人训示及近仁叔手札，均为儿婚事致劳大人焦烦。此事男去岁在里时，大人亦曾提及，彼时儿仅承认赶早一二年，并未承认于今年举行也。此事今年万不可行：

一则，男实系今年十二月毕业，大哥及诸人所云均误耳。此言男可誓之鬼神。大人纵不信儿言，乃不信二哥言耶？

二则，下半年万不能请假。盖本校定章，若此学期有一月中请假一小时者，于毕业分数上扣去廿分；有二月中均有请假者扣四十分，余以次递加。大人素知儿不甘居人下，奈何欲儿以此儿女之私抑儿使居人后乎？（一小时且不敢，何况二三礼拜乎？）

三则，吾家今年断无力及此。大人在家万不料男有此言，实则二哥所以迟迟不归者，正欲竭力经营，以图恢复旧业，现方办一大事，拮据已甚。此事若成，吾家将有中兴之望（此事亦不必先行禀知，以里中皆非善口，传之反贻人猜疑、贻人啧啧烦言也）。若大人今年先为男办此事，是又以一重重担加之二哥之身也。且男完婚，二哥必归，而此间之事将成画饼矣。大人须念儿言句句可以对越上帝，儿断不敢欺吾母。儿今年尤知二哥苦衷，望大人深信儿言，并以此意语二嫂知之。

四则，男此次辞婚，并非故意忤逆，实则男断不敢不娶妻，以慰大人之期望。即儿将来得有机会可以出洋，亦断不敢背吾母私出外洋，不来归娶。儿近方以伦理勖人，安敢忤逆如是？大人尽可放心也。儿书至此，儿欲哭矣。嗟乎吾母，儿此举正为吾家计，正为吾二哥计，亦正为吾一身计，不得不如此耳。（若此事必行，则吾家四分五裂矣，大人不可不知也。）若大人因儿此举而伤心致疾，或积忧成痗，则儿万死不足以蔽其辜矣。大人须知儿万不敢忘吾母也。

五则，大人所言唯恐江氏处不变，今儿自作一书申说此中情形，大人可请禹臣师或近仁叔读之，不识可能中肯？以弟〔男〕思之，除此以外，别无良法矣。大人务必请舅父再为男一行，期于必成，期于必达儿之目的而后已。

六则，合婚择日，儿所最痛恶深绝者，前此在家，曾屡屡为家人申说此义。为人父母者，固不能不依此办法，但儿现极恨此事，大人又何必因此极可杀、极可烹、鸡狗不如之愚人蠢虫瞎子之一言，而以极不愿意、极办不到之事，强迫大人所生所爱之儿子耶？以儿思之，此瞎畜生拣此日子，使儿忤逆吾所最亲敬之母亲，其大不利一；使儿费许多笔墨、许多脑力，宛转陈辞，以费去多少光阴，其不利二；使吾家之人不睦，其大不利三；使母亲伤心，其大不利四；使江氏白忙一场，其不利五；使舅父奔走往来，两面难为情，其不利六。有大不利者六，而犹曰"今年大利"，吾恨不得火其庐、牛马其人而后甘心也。儿言尽于此矣。大人务必体谅儿子之心，善为调停，万不可待至临时贻无穷之忧。男手颤欲哭，不能再书矣！

戊申七月初四日，不孝儿子嗣穈百拜谨禀

男现在不时回店，有信不如由泾县转寄之速也。

此用红圈皆极紧之言，用此标识耳。

尤有一事男不敢不告于大人者：男得此消息至今，消瘦甚矣。昨日

拍有一照，他日寄归，大人当亦伤心儿何憔悴至此耶！

前寄余川汪上宾兄（即宅坦三老表嫂之义女婿）带有二哥及儿之信，已收到未？

儿已将致江村之信写好，因大人既以八月毕业为辞，故男信中亦以此为辞，庶不使大人失信于江氏。儿思儿之岳氏既与吾家为姻眷，今得儿书，当念二姓他日尚须来往，女婿他日尚须登堂相见，断不肯使儿为难，以阻二姓之好，则大人所言一切为难情形，皆儿一身当之。望大人垂念儿子一片为吾家、为吾母之苦心，助儿一臂，请舅父亲自为儿一行。有儿此信，大人及舅父均有可措词之道，事无不成之理。儿以昨日作两书，今日又作致江氏书，天气太热，作字太多，致背脊酸痛，今不能多作书矣。今并万言为一句，曰："儿万不归也。"

儿子　嗣穈饮泣书

致江冬秀

（4月22日）

冬秀贤姊如见：

　　此吾第一次寄姊书也。屡得吾母书，俱言姊时来吾家，为吾母分任家事，闻之深感令堂及姊之盛意，出门游子，可以无内顾之忧矣。吾于十四岁时，曾见令堂一次，且同居数日，彼时似甚康健，今闻时时抱怨，远人闻之，殊以为念，近想已健旺如旧矣。前曾于吾母处得见姊所作字，字迹亦娟好可喜，唯似不甚能达意，想是不多读书之过。姊现尚有工夫读书否？甚愿有工夫时，能温习旧日所读之书。如来吾家时，可取聪侄所读之书，温习一二；如有不能明白之处，即令侄辈为一讲解，虽不能有大益，然终胜于不读书坐令荒疏也。姊以为如何？

　　吾在此极平安，但颇思归耳。草此奉闻。

即祝

无恙

　　　　　　　　　　　　　　　　　　　　胡适手书
　　　　　　　　　　　　　　　　　　　　四月二十二日

禀 母 亲

（1月30日）

民国二年第一号

吾母大人膝下：

得十二、十三号信，敬悉一切。所云家用紧迫，儿岂不知，奈去年以来，官费每月减去二十元，故现在每月但有六十元之费。一时受此影响，紧迫可知。然无论如何，儿终当设法筹寄。如家中有处可以暂时挪移，不妨暂借以敷用，儿自当设法筹还也。

节公对儿情意之厚，真可感激，已作书向之道谢矣。儿在此身体甚平安，一切都相安如意，乞吾母放心也。今年此间天气忽大暖，经冬仅有一二场大雪，雪后即消，天暖如春二三月，群以为异，以为百年以来所未有云。匆匆，即祝吾母无恙

适儿

正月卅日

禀 母 亲

（4月30日）

第五号　上

吾母大人膝下：

前寄第四号书，想已收到。兹寄上放大照相一张，以原片甚小，故不能再大。即此张虽不甚大，然已十分清楚矣。如吾母喜欢此片，乞下次来信告知，儿当加印寄上也。

儿居此极平安，唯苦甚忙，大有日不暇给之势。此外则事事如意，颇不觉苦。且儿居此已久，对于此间几有游子第二故乡之慨。友朋亦日多。此间有上等人家，常招儿至其家坐谈，有时即饭于其家。其家人以儿去家日久，故深相体恤，视儿如一家之人，中有一老人名白特生，夫妇二人都五十余岁，相待尤恳挚。前日儿以吾母影片示之，彼等甚喜，并嘱儿写家信时代问吾母安否。儿去家万里，得此亦少可慰吾离愁耳。

家中诸侄辈，现作何种事业？儿以为诸侄年幼，甚最要之事，乃是本国文字。国文乃人生万不可少之物，若吾家子弟并此亦不之知，则真吾家之大耻矣。

夜深作此奉禀，即祝吾母康健百福

糜儿百拜
四月卅日

禀 母 亲

(5月11日)

第六号　上

吾母大人膝下：

前寄第五号书及放大之照片，想已收到。今又寄呈放大影片一帧，如大人欲多得数张，当即寄呈。儿之照片，因近来未得佳者，佳者价恒甚昂，故一时尚未能寄家。总之，一二月内必摄一张寄来也。

儿在此甚平安，秋间即可毕业，唯仍须留此一年，可得硕士学位。然后迁至他校（尚未定何校），再留二年，可得博士学位。归期当在丙辰之秋耳。

家用一事，已在沪设法，不知已寄有款至家否？收到有款，乞吾母即以书告知。此处每月有二十元（英洋）。今年夏间，儿当多作文，或可多得钱，亦未可知耳。

此间方交春景，百卉都放，大可怡悦心神。唯对此佳景，益念吾故乡不已。古人云："虽信美而非吾土兮"，真得吾心云。

二哥在丹阳县作科长，月薪虽微，尚可勉强敷衍。唯二哥家累太重，亦是不了之计耳。

儿近来百无所苦，但苦太忙。家书之不常寄，亦以此故也。匆匆，即祝吾母康健

适儿百拜
五月十一日

禀 母 亲

(7月30日)

第七号

吾母大人膝下：

得第五号书，甚喜。又知上海之款已收到一月，甚望后此可源源而来，庶家中可无薪水之忧，而儿亦安心在外矣。儿之照片所以不常寄来者，因此间照片价昂，而儿友朋极多，每摄一影，非得二三十张不敷分赠，故一时不能得耳。实则儿近来变易甚微，与前此所摄影相差正无几，故望吾母能恕儿不寄照片之罪也。儿今复习夏课之外，尚有外事，又须卖文，故忙极，一时未及多作书寄家。此咎亦望吾母宽恕也。儿前收到全家照片时，曾作一诗，诗虽不佳，然亦足写儿近来感情，故另录一份寄家，望请禹臣师或近仁叔读之，并乞为吾母讲解之，何如？儿近除忙外，他无所苦。今年夏间天气尤凉爽，无炎燠之苦，殊幸事也。

今年南北战事又起，海外闻之，甚为惶惧，但望兵灾勿及吾乡耳。

大哥、二哥处都无信来，奈何。此信抵家时，想蕙蘋侄女已将出嫁，望吾母为我致意贺其为人妇，并祝其后日夫妇和顺，儿女满膝，待儿归来时，又有人呼儿作叔公矣。大姐家已抱孙否？砚香甥娶亲至今已将八九年，想此已有儿女矣。匆匆拜禀，即叩吾母万福康健

合家大小、里中长中均此问安

适儿百拜
七月三十日

出门一首得家中照片作

出门何所望,缓缓来邮车。马驯解人意,踯躅息路隅。
邮人逐户走,歌啸心自如。客子久凝伫,迎问书有无?
邮人授我书,厚与寻常殊。开缄喜欲舞,全家在画图。
中图坐吾母,貌戚意不舒。悠悠六年别,未老已微癯。
梦寐所系思,何以慰倚闾。对兹一长叹,悔绝温郎裾。
图左立冬秀,朴素真吾妇。轩车来何迟,累君相待久。
十载远行役,遂令此意负。归来会有期,与君老畦亩。
筑室杨林桥,背山开户牖。辟园可十丈,种菜亦种韭。
闭户注群经,誓为扫尘垢。我当授君读,君为我具酒。
何须赵女瑟,勿用秦人缶。此中有真趣,可以寿吾母。

禀 母 亲

（2月18日）

第三号　上

吾母：

前日得十一月十八日家书（不列号），具悉一切。儿前仅寄美金四十元，一二月内当续寄款归家。

白特生夫人及维廉姑娘处，儿当代达母意致谢。

白特生夫人于儿之生日（十一月十七日），特设馔招儿餐于其家，为儿作生日。儿客中得此，感激之私，何可言喻。吾母下次作书时，乞附及之。

此间又有韦莲司夫人者，其夫为大学的文学教师，年老告休。夫人待儿甚厚，儿时时往其家亦不知几十次矣。去冬曾嘱儿附笔道候，想已收到。母下次作书时，能附一短书与之，想韦夫人必甚喜也。

韦夫人之次女（即吾前廿五号所记之为儿好友韦莲司女士也），在纽约习美术，儿今年自波士顿归，绕道纽约往访之，本月以事往纽约又往访之。儿在此邦所认识之女友，以此君为相得最深。女士思想深沉，心地慈祥，见识高尚，儿得其教益不少。儿间与谈及吾母为人，女士每赞叹不已。嘱儿问母安好。吾母如有暇，亦望以一书予之。

吾母书中道及以吾乡产物作赠品，贡墨则西人无所用之，蜜枣及黄

柏山茶皆好。吾国产物西方人得之，每宝贵之，况吾乡土产乎？望吾母将此二种各寄些来，最好是用小匣装好寄来，附上封面数纸可用以寄邮也。赠品不在多，乞母寄黄柏山茶或六瓶或四瓶（每瓶半斤足矣）及蜜枣四盒，以便分赠也。

前次信中所附之冬秀小影，得之甚喜，如下次有照相者至吾乡，望吾母再摄一影寄来（有半身大影更佳）。儿久不得见吾母颜色，能得照片，亦慰情聊胜于无之计也。

书中又道及立大嫚康健如恒，闻之甚喜，乞母代儿致意问安为盼，并望代贺凤姣姐合婚大喜。

家中亲长年庚生日已收到，得之甚喜。

今年仅得家书一封，甚念甚念！儿在此平安，乞吾母勿念。匆匆，即祝

　　吾母康健百福
　　合家清吉

　　　　　　　　　　　　　　　　　　　　　　适儿
　　　　　　　　　　　　　　　　　　　　　　二月十八日

禀 母 亲

（3月22日）

第五号　上

吾母：

　　雪已消尽，人皆以为春已归来，不意昨夜今朝又复大雪。唯春雪不能久留，又不能积厚，但道途泥泞可厌耳。昨日为星期，有本市"监理会"教堂请儿演说。儿所说《耶教人在中国之机会》，听者颇众。此间教堂甚多，皆豁达大度。儿乃教外人，亦得在其讲坛上演说，可见其大度之一斑也。儿在大学中，颇以演说著名，三年来约演说七十余次。有时竟须旅行数百里外以应演说之招。儿所以乐为之者，亦自有故：一、以此邦人士多不深晓吾国国情民风，不可不有人详告之。盖恒人心目中之中国，但以为举国皆苦力洗衣工，不知何者为中国之真文明也。吾有此机会，可以消除此种恶感，岂可坐失之乎？二、则演说愈多，则愈有进境。吾今日之英语，大半皆自演说中得以进益。吾之乐此不疲，此亦其一因也。人言美国人皆善演说，此虚言也。儿居此五年，阅人多矣，所见真能演说者，可屈指数也。大学中学生五千人，能演说者不过一二十人，其具思想能感动人者，吾未之见也。传闻失实，多类此。

　　中日交涉消息颇恶。儿前此颇持乐观主义，以为大隈伯非糊涂人，岂不明中日唇齿之关系。不图日人贪得之念遂深入膏肓如此。今日吾国

必不能战，无拳无勇，安可言战？今日之高谈战、战、战者，皆妄人也。美人爱人道主义，唯彼决不至为他国兴仗义之师耳。儿远去祖国，坐对此风云，爱莫能助，只得以镇静处之，间作一二篇文字，以笔舌报国于万一耳。

儿居此平安，朋友相待甚殷，望吾母勿念。匆匆，即祝吾母康健百福

诸亲长均此

适儿
三月廿二日

白特生夫人及维廉姑娘处均已代吾母致意，彼等甚盼吾母书来也。四月初当寄美金二三十元来。

禀 母 亲

（4月28日）

第八号　上

吾母：

昨日得第十八号书附冬秀一书，读之甚喜。冬秀此书，是否渠所自作，抑系他人所拟稿而冬秀所誊写者乎？甚愿吾母下次写信时告知为盼。

岳氏病甚，闻之心为恻然，焦急而不能为助，奈何！

发此信后，即寄美金十元由上海转。此后每月寄十元，至少五元，想可应用矣。

二哥有书来，言吾母近有喘病未痊，不知此恙已除否？闻之甚念！望吾母下次写信时详细告知病状，以免儿疑虑。

儿处此身体平安，望吾母勿念。

连日天热异常，现虽尚在阳历四月底，而昨日乃热至九十度，居人云盖三十年所未见云。

附寄一书致冬秀，乞代寄去。匆匆，即祝吾母康健。

　　　　　　　　　　　　　　　　　　适儿拜
　　　　　　　　　　　　　　　　　　四月廿八日

近仁处久未有书寄去，不久当有长函至，乞预告之。

致江冬秀

(4月28日)

端秀姊如见：

顷得手书，喜慰无限！来书词旨通畅，可见姊近来读书进益不少。远人读之，快慰何可言喻。岳母病状，闻之焦思不已，不知近已稍愈否？适另有一函问岳母安好，乞姊转致为盼。令兄嫂及令叔处，均代为寄声问好。

来书言及放足事，闻之极为欣慰！骨节包惯，本不易复天足原形，可时时行走，以舒血脉，或骨节亦可渐次复原耳。

近来尚有工夫读书写字否？识字不在多，在能知字义；读书不在多，在能知书中之意而已。

新得姊之照片（田间执伞之影），甚好，谢谢。

匆匆奉复，即祝

无恙

适白
四月二十八日

自 述 集

自　序

　　我在这十几年中，因为深深的感觉中国最缺乏传记的文学，所以到处劝我的老辈朋友写他们的自传。不幸的很，这班老辈朋友虽然都答应了，终不肯下笔。最可悲的一个例子是林长民先生，他答应了写他的五十自述作他五十岁生日的纪念；到了生日那一天，他对我说："适之，今年实在太忙了，自述写不成了；明年生日我一定补写出来。"不幸他庆祝了五十岁的生日之后，不上半年，他就死在郭松龄的战役里，他那富于浪漫意味的一生就成了一部人间永不能读的逸书了！

　　梁启超先生也曾同样的允许我。他自信他的体力精力都很强，所以他不肯开始写他的自传。谁也不料那样一位生龙活虎一般的中年作家只活了五十五岁！虽然他的信札和诗文留下了绝多的传记材料，但谁能有他那样"笔锋常带情感"的健笔来写他那五十五年最为重要又最有趣味的生活呢！中国近世历史与中国现代文学就都因此受了一桩无法补救的绝大损失了。

　　我有一次见着梁士诒先生，我很诚恳的劝他写一部自叙，因为我知道他在中国政治史与财政史上都曾扮演过很重要的角色，所以我希望他替将来的史家留下一点史料。我也知道他写的自传也许是要替他自己洗刷他的罪恶；但这是不妨事的，有训练的史家自有防弊的方法；最要紧的是要他自己写他心理上的动机，黑幕里的线索，和他站在特殊地位的观察。前两个月，我读了梁士诒先生的讣告，他的自叙或年谱大概也就

成了我的梦想了。

此外,我还劝告过蔡元培先生、张元济先生、高梦旦先生、陈独秀先生、熊希龄先生、叶景葵先生。我盼望他们都不要叫我失望。

前几年,我的一位女朋友忽然发愤写了一部六七万字的自传,我读了很感动,认为是中国妇女的自传文学的破天荒的写实创作。但不幸他在一种精神病态中把这部稿本全烧了。当初他每写成一篇寄给我看时,我因为尊重他的意思,不曾替他留一个副本,至今引为憾事。

我的《四十自述》,只是我的"传记热"的一个小小的表现。这四十年的生活可分作三个阶段,留学以前为一段,留学的七年(一九一〇——一九一七)为一段,归国以后(一九一七——一九三一)为一段。我本想一气写成,但因为种种打断,只写成了这第一段的六章。现在我又出国去了,归期还不能确定,所以我接受了亚东图书馆的朋友们的劝告,先印行这几章。这几章都先在《新月月刊》上发表过,现在我都从头校改过,事实上的小错误和文字上的疏忽,都改正了。我的朋友周作人先生、葛祖兰先生和族叔董人先生,都曾矫正我的错误,都是我最感谢的。

关于这书的体例,我要声明一点。我本想从这四十年中挑出十来个比较有趣味的题目,用每个题目来写一篇小说式的文字,略如第一篇写我的父母的结婚。这个计划曾经得死友徐志摩的热烈的赞许,我自己也很高兴,因为这个方法是自传文学上的一条新路子,并且可以让我(遇必要时)用假的人名地名描写一些太亲切的情绪方面的生活。但我究竟是一个受史学训练深于文学训练的人,写完了第一篇,写到了自己的幼年生活,就不知不觉的抛弃了小说的体裁,回到了谨严的历史叙述的老路上去了。这一变颇使志摩失望,但他读了那写家庭和乡村教育的一章,也曾表示赞许;还有许多朋友写信来说这一章比前一章更动人。从此以后,我就爽性这样写下去了。因为第一章只是用小说体追写一个传说,其中写那"太子会"颇有用想象补充的部分,虽经董人叔来信指出,我也不去更动了。但因为传闻究竟与我自己的亲见亲闻有别,所以我把这一章提出,称为"序幕"。

我的这部《自述》至今没写完。但这几年之中,国内出版了好几部很可读的壮年作家自传。自传的风气似乎已开了。我很盼望我们这几个三四十岁的人的自传的出世可以引起一班老年朋友的兴趣，可以使我们的文学里添出无数的可读而又可信的传记来。我们抛出几块砖瓦，只是希望能引出许多块美玉宝石来。我们赤裸裸的叙述我们少年时代的琐碎生活，为的是希望社会上作过一番事业的人也会赤裸裸的记载他们的生活，给史家作材料，给文学开生路。

胡 适

二二·六·二七 在太平洋上

序幕　我的母亲的订婚

一

太子会是我们家乡秋天最热闹的神会,但这一年的太子会却使许多人失望。

神伞一队过去了。都不过是本村各家的绫伞,没有什么新鲜花样。去年大家都说,恒有绸缎庄预备了一顶珍珠伞。因为怕三先生说话,故今年他家不敢拿出来。

昆腔今年有四队,总算不寂寞。昆腔子弟都穿着"半截长衫",上身是白竹布,下半是湖色杭绸。每人小手指上挂着湘妃竹柄的小纨扇,吹唱时纨扇垂在笙笛下面摇摆着。

扮戏今年有六出,都是"正戏",没有一出花旦戏。这也是三先生的主意。后村的子弟本来要扮一出《翠屏山》,也因为怕三先生说话,改了《长坂坡》。其实七月的日光底下,甘、糜二夫人脸上的粉已被汗洗光了,就有潘巧云也不会怎样特别出色。不过看会的人的心里总觉得后村很漂亮的小棣没有扮潘巧云的机会,只扮作了糜夫人,未免太可惜了。

今年最扫兴的是没有扮戏的"抬阁"。后村的人早就练好了两架"抬阁",一架是《龙虎斗》,一架是《小上坟》。不料三先生今年回家过会场,他说抬阁太高了,小孩子热天受不了暑气,万一跌下来,不是小事体。他极力阻止,抬阁就扮不成了。

粗乐和昆腔一队一队的过去了。扮戏一出一出的过去了。接着便是太子的神轿。路旁的观众带着小孩的，都喊道，"拜啊！拜啊！"许多穿着白地蓝花布裙的男女小孩都合掌拜揖。

神轿的后面便是拜香的人！有的穿着夏布长衫，捧着柱香；有的穿着短衣，拿着香炉挂，炉里烧着檀香。还有一些许愿更重的，今天来"吊香"还愿；他们上身穿着白布裙，扎着朱青布裙，远望去不容易分别男女。他们把香炉吊在铜钩上，把钩子钩在手腕肉里，涂上香灰，便可不流血。今年吊香的人很多，有的只吊在左手腕上，有的双手都吊；有的只吊一个小香炉，有的一只手腕上吊着两个香炉。他们都是虔诚还愿的人，悬着挂香炉的手腕，跟着神轿走多少里路，虽然有自家人跟着打扇，但也有半途中了暑热走不动的。

冯顺弟搀着他的兄弟，跟着他的姑妈，站在路边石磴上看会。他今年十四岁了，家在十里外的中屯，有个姑妈嫁在上庄，今年轮着上庄作会，故他的姑丈家接他姐弟来看会。

他是个农家女子，从贫苦的经验里得着不少的知识，故虽是十四岁的女孩儿，却很有成人的见识。他站在路旁听着旁人批评今年的神会，句句总带着三先生。"三先生今年在家过会，可把会弄糟了。""可不是呢，抬阁也没有了。""三先生还没有到家，八都的鸦片烟馆都关门了，赌场也都不敢开了。七月会场上没有赌场，又没有烟灯，这是多年没有的事。"

看会的人，你一句，他一句，顺弟都听在心里。他心想，三先生必是一个了不得的人，能叫赌场烟馆都不敢开门。

会过完了，大家纷纷散了。忽然他听见有人低声说，"三先生来了！"他抬起头来，只见路上的人都纷纷让开一条路；只听见许多人都叫"三先生"。

前面走来了两个人。一个高大的中年人，面容紫黑，有点短须，两眼有威光，令人不敢正眼看他；他穿着苎布大袖短衫，苎布大脚管的裤

子，脚下穿着麻布鞋子，手里拿着一杆旱烟管。和他同行的是一个老年人，瘦瘦身材，花白胡子，也穿着短衣，拿着旱烟管。

顺弟的姑妈低声说，"那个黑面的，是三先生；那边是月吉先生，他的学堂就在我们家的前面。听人说三先生在北边作官，走过了万里长城，还走了几十日，都是没有人烟的地方，冬天冻杀人，夏天热杀人；冬天冻塌鼻子，夏天蚊虫有苍蝇那么大。三先生肯吃苦，不怕日头不怕风，在万里长城外住了几年，把脸晒的像包龙图一样。"

这时候，三先生和月吉先生已走到他们面前，他们站住说了一句话，三先生独自下坡去了；月吉先生却走过来招呼顺弟的姑妈，和他们同行回去。

月吉先生见了顺弟，便问道，"灿嫂，这是你家金灶舅的小孩子吗？"

"是的。顺弟，诚厚，叫声月吉先生。"

月吉先生一眼看见了顺弟脑后的发辫，不觉喊道，"灿嫂，你看这姑娘的头发一直拖到地！这是贵相！是贵相！许了人家没有？"

这一问把顺弟羞的满脸绯红，他牵着他弟弟的手往前飞跑，也不顾他姑妈了。

他姑妈一面喊，"不要跌了！"回头对月吉先生说，"还不曾许人家。这孩子很稳重，很懂事。我家金灶哥总想许个好好人家，所以今年十四岁了，还不曾许人家。"

月吉先生说，"你开一个八字给我，我给他排排看。你不要忘了。"

他到了自家门口，还回过头来说："不要忘记，叫灿哥抄个八字给我。"

二

顺弟在上庄过了会场，他姑丈送他姐弟回中屯去。七月里天气热，日子又长，他们到日头快落山时才起身，走了十里路，到家时天还没全黑。

顺弟的母亲刚牵了牛进栏，见了他们，忙着款待姑丈过夜。

"爸爸还没有回来吗？"顺弟问。

"姊姊，我们去接他。"姊姊和弟弟不等母亲回话，都出去了。

他们到了村口，远远望见他们的父亲挑着一担石头进村来。他们赶上去喊着爸爸，姊姊弟弟每人从挑子里拿了一块石头，捧着跟他走。他挑到他家的旧屋基上，把石头倒下去，自己跳下去，把石头铺平，才上来挑起空担回家去。

顺弟问，"这是第三担了吗？"

他父亲点点头，只问他们看的会好不好，戏好不好，一同回家去。

顺弟的父亲姓冯，小名金灶。他家历代务农，辛辛苦苦挣起了一点点小产业，居然有几亩自家的田，一所自家的屋。金灶十三四岁的时候，长毛贼到了徽州，中屯是绩溪北乡的大路，整个村子被长毛烧成平地。金灶的一家老幼都被杀了，只剩他一人，被长毛掳去。长毛军中的小头目看这个小孩子有气力，能吃苦，就把他脸上刺了"太平天国"四个蓝字，叫他不能逃走。军中有个裁缝，见这个小孩子可怜，收他作徒弟，叫他跟着学裁缝。金灶学了一手好裁缝，在长毛营里混了几年，从绩溪跟到宁国、广德，居然被他逃走出来。但因为面上刺了字，捉住他的人可以请赏，所以他不敢白日露面。他每日躲在破屋场里，挨到夜间，才敢赶路。他吃了种种困苦，好容易回到家乡，只寻得一片焦土，几座焦墙，一村的丁壮留剩的不过二三十人。

金灶是个肯努力的少年，他回家之后，寻出自家的荒田，努力耕种。有余力就帮人家种田，作裁缝。不上十年，他居然修葺了村里一间未烧完的砖屋，娶了一个妻子。夫妻都能苦作苦吃，渐渐有了点积蓄，渐渐挣起了一个小小的家庭。

他们头胎生下一个女儿。在那大乱之后，女儿是不受欢迎的，所以

他的名字叫作顺弟，取个下胎生个弟弟的吉兆。隔了好几年，果然生了一个儿子，他们都很欢喜。

金灶为人最忠厚；他的裁缝手艺在附近村中常有雇主，人都说他诚实勤谨。外村的人都尊敬他，叫他金灶官。

但金灶有一桩最大的心愿，他总想重建他祖上传下来、被长毛烧了的老屋。他一家人都被杀完了，剩下他这一个人，他觉得天留他一个人是为中兴他的祖业的。他立下了一个誓愿：要在老屋基上建造起一所更大又更讲究的新屋。

他费了不少功夫，把老屋基扒开，把烧残砖瓦拆扫干净，准备重新垫起一片高地基，好在上面起造一所高爽干燥的新屋。他每日天未明就起来了；天刚亮，就到村口溪头去拣选石子，挑一大担回来，铺垫地基。来回挑了三担之后，他才下田去作工；到了晚上歇工时，他又去挑三担石子，才吃晚饭。农忙过后，他出村帮人家作裁缝，每天也要先挑三担石子，才去上工；晚间吃了饭回来，又要挑三担石子，才肯休息。

这是他的日常功课，家中的妻子女儿都知道他的心愿，女流们不能帮他挑石头，又不能劝他休息，劝他也没有用处。有时候，他实在疲乏了，挑完石子回家，倒在竹椅上吸旱烟，眼望着十几岁的女儿和几岁的儿子，微微叹一口气。

顺弟是已懂事的了，他看见他父亲这样辛苦作工，他心里好不难过。他常常自恨不是个男子，不能代他父亲下溪头去挑石头。他只能每日早晚到村口去接着他父亲，从他的担子里捧出一两块石头来，拿到屋基上，也算是分担了他的一点辛苦。

看看屋基渐渐垫高了，但砖瓦木料却全没有着落。高敞的新屋还只存在他一家人的梦里。顺弟有时作梦，梦见他是个男子，他了官回家看父母，新屋早已造好了，他就在黑漆的大门外下轿。下轿来又好像作官的不是他，是他兄弟。

三

这一年,顺弟十七岁了。

一天的下午,金灶在三里外的张家店作裁缝,忽然走进了一个中年妇人,叫声"金灶舅"。他认得他是上庄的星五嫂,他娘家离中屯不远,所以他从小认得他。他是三先生的伯母,他的丈夫星五先生也是八都的有名绅士,所以人都叫他"星五先生娘"。

金灶招呼他坐下。他开口道:"巧极了,我本打算到中屯看你去,走到了张家店,才知道你在这里作活。巧极了。金灶舅,我来寻你,是想开你家顺弟的八字。"

金灶问是谁家。

星五先生娘说:"就是我家大侄儿三哥。"

"三先生?"

"是的,三哥今年四十七,前头讨的七都的玉环,死了十多年了。玉环生下了儿女一大堆,——三个儿子,三个女,——现在都长大了。不过他在外头作官,没有个家眷,实在不方便。所以他写信来家,要我们给他定一头亲事。"

金灶说,"我们种田人家的女儿那配作官太太?这件事不用提。"

星五先生娘说:"我家三哥有点怪脾气。他今年写信回来,说,一定要讨一个作庄稼人家的女儿。"

"什么道理呢?"

"他说,作庄稼人家的人身体好,不会像玉环那样痨病鬼。他又说,庄稼人家晓得艰苦。"

金灶说:"这件事不会成功的。一来呢,我们配不上作官人家。二来,我家女人一定不肯把女儿给人作填房。三来,三先生家的儿女都大

了,他家大儿子大女儿都比顺弟大好几岁,这样人家的晚娘是不容易作的。这个八字不用开了。"

星五先生娘说:"你不要客气。顺弟很稳重,是个有福气的人。金灶舅,你莫怪我直言,顺弟今年十七岁了,眼睛一晱,二十岁到头上,你那里去寻一个青头郎?填房有什么不好?三哥信上说了,新人过了门,他就要带上任去。家里的儿女,大女儿出嫁了;大儿子今年作亲,留在家里;二女儿是从小给了人家了;三女儿也留在家里。将来在任上只有两个双胞胎的十五岁小孩子,他们又都在学堂里。这个家也没有什么难照应。"

金灶是个老实人,他也明白他的话有驳不倒的道理。家乡风俗,女儿十三四岁总得定亲了。十七八岁的姑娘总是作填房的居多。他们夫妇因为疼爱顺弟,总想许个念书人家,所以把他耽误了。这是他们作父母的说不出的心事。所以他今天很有点踌躇。

星五先生娘见他踌躇,又说道:"金灶舅,你不用多心。你回去问问金灶舅母,开个八字。我今天回娘家去,明朝我来取。八字对不对,辰肖合不合,谁也不知道。开个八字总不妨事。"

金灶一想,开个八字诚然不妨事,他就答应了。

* * * *

这一天,他从张家店回家,顺弟带了弟弟放牛去了,还没有回来。他放下针线包和熨斗,便在门里板凳上坐下来吸旱烟。他的妻子见他有心事的样子,忙过来问他,他把星五嫂的话对他说了。

他听了大生气,忙问,"你不曾答应他开八字?"

他说,"我说要回家商量商量。不过开个八字给他家,也不妨事。"

他说,"不行。我不肯把女儿许给快五十岁的老头子。他家儿女一大堆,这个晚娘不好作。作官的人家看不起我们庄稼人家的女儿,将来让人家把女儿欺负煞,谁来替我们申冤?我不开八字。"

他慢吞吞的说,"顺弟今年十七岁了,许人家也不容易。三先生是个好人——"

他更生气了,"是的,都是我的不是。我不该心高,耽误了女儿的终身。女儿没有人家要了,你就想送给人家作填房,作晚娘。作填房也可以,三先生家可不行。他家是作官人家,将来人家一定说我们贪图人家有势力,把女儿卖了,想换个作官的女婿。我背不起这个恶名。别人家都行,三先生家我不肯。女儿没人家要,我养他一世。"

他们夫妻吵了一场,后来金灶说,"不要吵了。这是顺弟自家的事,吃了夜饭,我们问问他自己。好不好?"他也答应了。

晚饭后,顺弟看着兄弟睡下,回到菜油灯下作鞋。金灶开口说,"顺弟,你母亲有句话要问你。"

顺弟抬起头来,问妈有什么话。他妈说,"你爸爸有话问你,不要朝我身上推。"

顺弟看他妈有点气,不知道是怎么一回事,只好问他爸。他爸对他说,"上庄三先生要讨个填房,他家今天叫人来开你的八字。你妈嫌他年纪太大,四十七岁了,比你大三十岁,家中又有一大堆儿女。晚娘不容易作,我们怕将来害了你一世,所以要问问你自己。"

他把今天星五嫂的话说了一遍。

顺弟早已低下头去作针线,半晌不肯开口。他妈也不开口。他爸也不说话了。

顺弟虽不开口,心里却在那儿思想。他好像闭了眼睛,看见他的父亲在天刚亮的时候挑着一大担石头进村来;看见那大块屋基上堆着他一担一担的挑来的石头;看见他父亲晚上坐在黑影地里沉思叹气。一会儿,他又仿佛看见他作了官回来,在新屋的大门口下轿。一会儿,他的眼前又仿佛现出了那紫黑面孔、两眼射出威光的三先生……

他心里这样想:这是他帮他父母的机会到了。作填房可以多接聘金。前妻儿女多,又是作官人家,聘金财礼总应该更好看点。他将来总还可以帮他父母的忙。他父亲一生梦想的新屋总可以成功。

……三先生是个好人，人人都敬重他，只有开赌场烟馆的人怕他恨他……

他母亲说话的声音打断了他的思想。他妈说，"对了我们，有什么话不好说？你说罢！"

顺弟抬起眼睛来，见他爸妈都望着他自己。他低下头去，红着脸说道："只要你们俩都说他是个好人，请你们俩作主。"他接着又加上一句话，"男人家四十七岁也不能算是年纪大。"

他爸叹了一口气。他妈可气的跳起来了，忿忿的说，"好啊！你想作官太太了！好罢！听你情愿罢！"

顺弟听了这句话，又羞又气，手里的鞋面落在地上，眼泪直滚下来。他拾起鞋面，一声不响，走到他房里去哭了。

* * * *

经过了这一番家庭会议之后，顺弟的妈明白他女儿是愿意的了，他可不明白他情愿卖身来帮助爹妈的苦心，所以他不指望这门亲事成功。

他怕开了八字去，万一辰肖相合，就难回绝了；万一八字不合，旁人也许要笑他家高攀不上作官人家。他打定主意，要开一张假八字给媒人拿去。第二天早晨，他到祠堂蒙馆去，请先生开一个庚帖，故意错报了一天生日，又错报了一个时辰。先生翻开《万年历》，把甲子查明写好，他拿回去交给金灶。

那天下午，星五先生娘到张家店拿到了庚帖，高兴的很。回到了上庄，他就去寻着月吉先生，请他把三先生和顺弟的八字排排看。

月吉先生看了八字，问是谁家女儿。

"中屯金灶官家的顺弟。"

月吉先生说，"这个八字开错了。小村乡的蒙馆先生连官本（俗称历书为官本）也不会查，把八个字抄错了四个字。"

星五先生娘说，"你怎么知道八字开错了？"

月吉先生说,"我算过他的八字,所以记得。大前年村里七月会,我看见这女孩子,他不是灿嫂的侄女吗?圆圆面孔,有一点雀斑,头发很长,是吗?面貌并不美,倒稳重的很,不像个庄稼人家的孩子。我那时问灿嫂讨了他的八字来算算看。我算过的八字,三五年不会忘记的。"

他抽开书桌的抽屉,寻出一张字条来,说,"可不是呢?在这里了。"他提起笔来,把庚帖上的八字改正,又把三先生的八字写出。他排了一会,对星五先生娘说,"八字是对的,不用再去对了。星五嫂,你的眼力不差,这个人配得上三哥。相貌是小事,八字也是小事,金灶官家的规矩好。你明天就去开礼单。三哥那边,我自己写信去。"

* * * *

过了两天,星五先生娘到了中屯,问金灶官开"礼单"。他埋怨道,"你们村上的先生不中用,把八字开错了,几乎误了事。"

金灶嫂心里明白,问谁说八字开错了的。星五先生娘一五一十的把月吉先生的话说了。金灶夫妻都很诧异,他们都说,这是前世注定的姻缘。金灶嫂现在也不反对了。他们答应开礼单,叫他隔几天来取。

冯顺弟就是我的母亲,三先生就是我的父亲铁花先生。在我父亲的日记上,有这样几段记载:

[光绪十五年(一八八九)二月]十六日,行五十里,抵家。……

二十一日,遣媒人订约于冯姓,择定三月十二日迎娶。……

三月十一日,遣舆诣七都中屯迎娶冯氏。

十二日,冯氏至。行合卺礼。谒庙。

十三日,十四日,宴客。……

四月初六日，往中屯，叩见岳丈岳母。

初七日，由中屯归。……

五月初九日，起程赴沪，天雨，行五十五里，宿旌之新桥。

十九，六，廿六

一、九年的家乡教育

一

我生在光绪十七年十一月十七日（一八九一年十二月十七），那时候我家寄住在上海大东门外。我生后两个月，我父亲被台湾巡抚邵友濂奏调往台湾；江苏巡抚奏请免调，没有效果。我父亲于十八年二月底到台湾，我母亲和我搬到川沙住了一年。十九年（一八九三）二月二十六日我们一家（我母，四叔介如，二哥嗣秬，三哥嗣秠）也从上海到台湾。我们在台南住了十个月。十九年五月，我父亲作台东直隶州知州，兼统镇海后军各营。台东是新设的州，一切草创，故我父不带家眷去。到十九年底，我们才到台东。我们在台东住了整一年。

甲午（一八九四）中日战事开始，台湾也在备战的区域，恰好介如四叔来台湾，我父亲便托他把家眷送回徽州故乡，只留二哥嗣秬跟着他在台东。我们于乙未年（一八九五）正月离开台湾，二月初十日从上海起程回绩溪故乡。

那年四月，中日和议成，把台湾割让给日本。台湾绅民反对割台，要求巡抚唐景崧坚守。唐景崧请西洋各国出来干涉，各国不允。台人公请唐为台湾民主国大总统，帮办军务刘永福为主军大总统。我父亲在台东办后山的防务，电报已不通，饷源已断绝。那时他已得脚气病，左脚

已不能行动。他守到闰五月初三日,始离开后山。到安平时,刘永福苦苦留他帮忙,不肯放行。到六月廿五日,他双脚都不能动了,刘永福始放他行。六月廿八日到厦门,手足俱不能动了。七月初三日他死在厦门,成为东亚第一个民主国的第一个牺牲者!

这时候我只有三岁零八个月。我仿佛记得我父死信到家时,我母亲正在家中老屋的前堂,他坐在房门口的椅子上。他听见读信人读到我父亲的死信,身子往后一倒,连椅子倒在房门槛上。东边房门口坐的珍伯母也放声大哭起来。一时满屋都是哭声,我只觉得天地都翻覆了!我只仿佛记得这一点凄惨的情状,其余都不记得了。

二

我父亲死时,我母亲只有二十三岁。我父初娶冯氏,结婚不久便遭太平天国之乱,同治二年(一八六三)死在兵乱里。次娶曹氏,生了三个儿子、三个女儿,死于光绪四年(一八七八)。我父亲因家贫,又有志远游,故久不续娶。到光绪十五年(一八八九),他在江苏候补,生活稍稍安定,他才续娶我的母亲。我母亲结婚后三天,我的大哥嗣稼也娶亲了。那时我的大姊已出嫁生了儿子。大姊比我母亲大七岁,大哥比他大两岁。二姊是从小抱给人家的。三姊比我母亲小三岁,二哥、三哥(孪生的)比他小四岁。这样一个家庭里忽然来了一个十七岁的后母,他的地位自然十分困难,他的生活自然免不了苦痛。

结婚后不久,我父亲把他接到了上海同住。他脱离了大家庭的痛苦,我父又很爱他,每日在百忙中教他认字读书,这几年的生活是很快乐的。我小时也很得我父亲钟爱,不满三岁时,他就把教我母亲的红纸方字教我认。父亲作教师,母亲便在旁作助教。我认的是生字,他便借此温他的熟字。他太忙时,他就是代理教师。我们离开台湾时,他认得了近千字,我也认了七百多字。这些方字都是我父亲亲手写的楷字,我母亲终身保存着,因为这些方块红笺上都是我们三个人的最神圣的团居生活的纪念。

我母亲二十三岁就作了寡妇,从此以后,又过了二十三年。这二十三年的生活真是十分苦痛的生活,只因为还有我这一点骨血,他含辛茹苦,把全副希望寄托在我的渺茫不可知的将来,这一点希望居然使他挣扎着活了二十三年。

我父亲在临死之前两个多月,写了几张遗嘱,我母亲和四个儿子每人各有一张,每张只有几句话。给我母亲的遗嘱上说穈儿(我的名字叫嗣穈,穈字音门)天资颇聪明,应该令他读书。给我的遗嘱也教我努力读书上进。这寥寥几句话在我的一生很有重大的影响。我十一岁的时候,二哥和三哥都在家,有一天我母亲问他们道:"穈今年十一岁了。你老子叫他念书。你们看看他念书念得出吗?"二哥不曾开口,三哥冷笑道,"哼,念书!"二哥始终没有说什么。我母亲忍气坐了一会,回到了房里才敢掉眼泪。他不敢得罪他们,因为一家的财政权全在二哥的手里,我若出门求学是要靠他供给学费的。所以他只能掉眼泪,终不敢哭。

但父亲的遗嘱究竟是父亲的遗嘱,我是应该念书的。况且我小时很聪明,四乡的人都知道三先生的小儿子是能够念书的。所以隔了两年,三哥往上海医肺病,我就跟他出门求学了。

三

我在台湾时,大病了半年,故身体很弱。回家乡时,我号称五岁了,还不能跨一个七八寸高的门槛。但我母亲望我念书的心很切,故到家的时候,我才满三岁零几个月,就在我四叔父介如先生(名玠)的

学堂里读书了。我的身体太小，他们抱我坐在一只高凳子上面。我坐上了就爬不下来，还要别人抱下来。但我在学堂并不算最低级的学生，因为我进学堂之前已认得近一千字了。

因为我的程度不算"破蒙"的学生，故我不须念《三字经》《千字文》《百家姓》《神童诗》一类的书。我念的第一部书是我父亲自己编的一部四言韵文，叫作《学为人诗》，他亲笔抄写了给我的。这部书说的是作人的道理。我把开头几行抄在这里：

为人之道，在率其性。
子臣弟友，循理之正；
谨乎庸言，勉乎庸行；
以学为人，以期作圣。……

以下分说五伦。最后三节，因为可以代表我父亲的思想，我也抄在这里：

五常之中，不幸有变，
名分攸关，不容稍紊。
义之所在，身可以殉。
求仁得仁，无所尤怨。

古之学者，察于人伦，
因亲及亲，九族克敦；
因爱推爱，万物同仁。
能尽其性，斯为圣人。

经籍所载，师儒所述，

为人之道，非有他术：
穷理致知，返躬践实，
黾勉于学，守道勿失。

我念的第二部书也是我父亲编的一部四言韵文，名叫《原学》，是一部略述哲理的书。这两部书虽是韵文，先生仍讲不了，我也懂不了。

我念的第三部书叫作《律诗六钞》，我不记得是谁选的了。三十多年来，我不曾重见这部书，故没有机会考出此书的编者；依我的猜测，似是姚鼐的选本，但我不敢坚持此说。这一册诗全是律诗，我读了虽不懂得，却背的很熟。至今回忆，却完全不记得了。

我虽不曾读《三字经》等书，却因为听惯了别的小孩子高声诵读，我也能背这些书的一部分，尤其是那五七言的《神童诗》，我差不多能从头背到底。这本书后面的七言句子，如：

人心曲曲湾湾水，
世事重重叠叠山。

我当时虽不懂得其中的意义，却常常嘴上爱念着玩，大概也是因为喜欢那些重字双声的缘故。

* * * *

我念的第四部书以下，除了《诗经》，就都是散文的了。我依诵读的次序，把这些书名写在下面：

(4)《孝经》。
(5) 朱子的《小学》，江永集注本。
(6)《论语》。以下四书皆用朱子注本。
(7)《孟子》。

(8)《大学》与《中庸》。(《四书》皆连注文读。)

(9)《诗经》，朱子《集传》本。(注文读一部分。)

(10)《书经》，蔡沈注本。(以下三书不读注文。)

(11)《易经》，朱子《本义》本。

(12)《礼记》，陈澔注本。

读到了《论语》的下半部，我的四叔父介如先生选了颖州府阜阳县的训导，要上任去了，就把家塾移交给族兄禹臣先生（名观象）。四叔是个绅董，常常被本族或外村请出去议事或和案子；他又喜欢打纸牌（徽州纸牌，每副一百五十五张），常常被明达叔公、映基叔、祝封叔、茂张叔等人邀出去打牌。所以我们的功课很松，四叔往往在出门之前，给我们"上一进书"，叫我们自己念；他到天将黑时，回来一趟，把我们的习字纸加了圈，放了学，才又出门去。

四叔的学堂里只有两个学生，一个是我，一个是四叔的儿子嗣秋，他比我大几岁。嗣秋承继给瑜婶（星五伯公的二子珍伯、瑜叔，皆无子，我家三哥承继珍伯，秋哥承继瑜婶）。他很溺爱他，不肯管束他，故四叔一走开，秋哥就溜到灶下或后堂去玩了（他们和四叔住一屋，学堂在这屋的东边小屋内）。我的母亲管的严厉，我又不大觉得念书是苦事，故我一个人坐在学堂里温书念书，到天黑才回家。

禹臣先生接收家塾后，学生就增多了。先是五个，后来添到十多个，四叔家的小屋不够用了，就移到一所大屋——名叫来新书屋——里去。最初添的三个学生，有两个是守瓒叔的儿子嗣昭、嗣逵。嗣昭比我大两三岁，天资不算笨，却不爱读书，最爱"逃学"，我们土话叫作"赖学"。他逃出去，往往躲在麦田或稻田里，宁可睡在田里挨饿，却不愿念书。先生往往差嗣秋去捉；有时候，嗣昭被捉回来了，总得挨一顿毒打；有时候，连嗣秋也不回来了，——乐得不回来了，因为这是"奉命差遣"，不算是逃学！

我常觉得奇怪，为什么嗣昭要逃学？为什么一个人情愿挨饿，挨打，挨大家笑骂，而不情愿念书？后来我稍懂得世事，才明白了。瓒叔自小在江西作生意，后来在九江开布店，才娶妻生子；一家人都说江西话，回家乡时，嗣昭弟兄都不容易改口音；说话改了，而嗣昭念书常带江西音，常常因此吃戒方或吃"作瘤栗"（钩起五指，打在头上，常打起瘤子，故叫作"作瘤栗"）。这是先生不原谅，难怪他不愿念书。

还有一个原因。我们家乡的蒙馆学金太轻，每个学生每年只送两块银元。先生对于这一类学生，自然不肯耐心教书，每天只教他们念死书，背死书，从来不肯为他们"讲书"。小学生初念有韵的书，也还不十分叫苦。后来念《幼学琼林》《四书》一类的散文，他们自然毫不觉得有趣味，因为全不懂得书中说的是什么。因为这个缘故，许多学生常常赖学；先有嗣昭，后来有个士祥，都是有名的"赖学胚"。他们都属于这每年两元钱的阶级。因为逃学，先生生了气，打的更厉害。越打的厉害，他们越要逃学。

我一个人不属于这"两元"的阶级。我母亲渴望我读书，故学金特别优厚，第一年就送六块钱，以后每年增加，最后一年加到十二元。这样的学金，在家乡要算"打破纪录"的了。我母亲大概是受了我父亲的叮嘱，他嘱托四叔和禹臣先生为我"讲书"：每读一字，须讲一字的意思；每读一句，须讲一句的意思。我先已认得了近千个"方字"，每个字都经过父母的讲解，故进学堂之后，不觉得艰苦。念的几本书虽然有许多是乡里先生讲不明白的，但每天总遇着几句可懂的话。我最喜欢朱子《小学》里的记述古人行事的部分，因为那些部分最容易懂得，所以比较最有趣味。同学之中有念《幼学琼林》的，我常常帮他们的忙，教他们不认得的生字，因此常常借这些书看；他们念大字，我却最爱看《幼学琼林》的小注，因为注文中有许多神话和故事，比《四书》《五经》有趣味多了。

有一天，一件小事使我忽然明白我母亲增加学金的大恩惠。一个同学的母亲来请禹臣先生代写家信给他的丈夫，信写成了，先生交他的儿子晚上带回家去。一会儿，先生出门去了，这位同学把家信抽出来偷看。他忽然过来问我道："糜，这信上第一句'父亲大人膝下'是什么意思？"他比我只小一岁，也念过《四书》，却不懂"父亲大人膝下"是什么！这时候，我才明白我是一个受特别待遇的人，因为别人每年出两块钱，我去年却送十块钱。我一生最得力的是讲书，父亲母亲为我讲方字，两位先生为我讲书。念古文而不讲解，等于念"揭谛揭谛，波罗揭谛"，全无用处。

四

当我九岁时，有一天我在四叔家东边小屋里玩耍。这小屋前面是我们的学堂，后边有一间卧房，有客来便住在这里。这一天没有课，我偶然走进那卧房里去，偶然看见桌子下一只美孚煤油板箱里的废纸堆中露出一本破书。我偶然捡起了这本书，两头都被老鼠咬坏了，书面也扯破了。但这一本破书忽然为我开辟了一个新天地，忽然在我的儿童生活史上打开了一个新鲜的世界！

这本破书原来是一本小字木板的《第五才子》，我记得很清楚，开始便是"李逵打死殷天锡"一回。我在戏台上早已认得李逵是谁了，便站在那只美孚破板箱边，把这本《水浒传》残本一口气看完了。不看尚可，看了之后，我的心里很不好过：这一本的前面是些什么？后面是些什么？这两个问题，我都不能回答，却最急要一个回答。

我拿了这本书去寻我的五叔，因为他最会"说笑话"（"说笑话"就是"讲故事"，小说书叫作"笑话书"），应该有这种笑话书。不料五叔竟没有这书，他叫我去寻守焕哥。守焕哥说，"我没有《第五才子》，我替你去借一部；我家中有部《第一才子》，你先拿去看，好吧?"《第一才子》便是《三国演义》，他很郑重的捧出来，我很高兴的捧回去。

后来我居然得着《水浒传》全部。《三国演义》也看完了。从此以后，我到处去借小说看。五叔，守焕哥，都帮了我不少的忙。三姐夫（周绍瑾）在上海乡间周浦开店，他吸鸦片烟，最爱看小说书，带了不少回家乡；他每到我家来，总带些《正德皇帝下江南》《七剑十三侠》一类的书来送给我。这是我自己收藏小说的起点。我的大哥（嗣稼）最不长进，也是吃鸦片烟的，但鸦片烟灯是和小说书常作伴的，——五叔、守焕哥、三姐夫都是吸鸦片烟的，——所以他也有一些小说书。大嫂认得一些字，嫁妆里带来了好几种弹词小说，如《双珠凤》之类。这些书不久都成了我的藏书的一部分。

三哥在家乡时多；他同二哥都进过梅溪书院，都作过南洋公学的师范生，旧学都有根底，故三哥看小说很有选择。我在他书架上只寻得三部小说：一部《红楼梦》，一部《儒林外史》，一部《聊斋志异》。二哥有一次回家，带了一部新译出的《经国美谈》，讲的是希腊的爱国志士的故事，是日本人作的。这是我读外国小说的第一步。

帮助我借小说最出力的是族叔近仁，就是民国十二年和顾颉刚先生讨论古史的胡堇人。他比我大几岁，已"开笔"作文章了，十几岁就考取了秀才。我同他不同学堂，但常常相见，成了最要好的朋友。他天才很高，也肯用功，读书比我多，家中也颇有藏书。他看过的小说，常借给我看。我借到的小说，也常借给他看。我们两人各有一个小手折，把看过的小说都记在上面，时时交换比较，看谁看的书多。这两个折子后来都不见了，但我记得离开家乡时，我的折子上好像已有了三十多部小说了。

这里所谓"小说"，包括弹词、传奇，以及笔记小说在内。《双珠凤》在内，《琵琶记》也在内；《聊斋》《夜雨秋灯录》《夜谭随录》《兰苕馆外史》《寄园寄所寄》《虞初新志》等等也在内。从《薛仁贵

征东》《薛丁山征西》《五虎平西》《粉妆楼》一类最无意义的小说，到《红楼梦》和《儒林外史》一类的第一流作品，这里面的程度已是天悬地隔了。我到离开家乡时，还不能了解《红楼梦》和《儒林外史》的好处。但这一大类都是白话小说，我在不知不觉之中得了不少的白话散文的训练，在十几年后于我很有用处。

看小说还有一桩绝大的好处，就是帮助我把文字弄通顺了。那时候正是废八股时文的时代，科举制度本身也动摇了。二哥、三哥在上海受了时代思潮的影响，所以不要我"开笔"作八股文，也不要我学作策论经义。他们只要先生给我讲书，教我读书。但学堂里念的书，越到后来，越不好懂了。《诗经》起初还好懂，读到《大雅》，就难懂了；读到《周颂》，更不可懂了。《书经》有几篇，如《五子之歌》，我读的很起劲；但《盘庚》三篇，我总读不熟。我在学堂九年，只有《盘庚》害我挨了一次打。后来隔了十多年，我才知道《尚书》有今文和古文两大类，向来学者都说古文诸篇是假的，今文是真的；《盘庚》属于今文一类，应该是真的。但我研究《盘庚》用的代名词最杂乱不成条理，故我总疑心这三篇书是后人假造的。有时候，我自己想，我的怀疑《盘庚》，也许暗中含有报那一个"作瘤栗"的仇恨的意味罢？

《周颂》《尚书》《周易》等书都是不能帮助我作通顺文字的，但小说书却给了我绝大的帮助。从《三国演义》读到《聊斋志异》和《虞初新志》，这一跳虽然跳的太远，但因为书中的故事实在有趣味，所以我能细细读下去。石印本的《聊斋志异》有圈点，所以更容易读。到我十二三岁时，已能对本家姐妹们讲说《聊斋》故事了。那时候，四叔的女儿巧菊，禹臣先生的妹子广菊、多菊，祝封叔的女儿杏仙，和本家侄女翠苹、定娇等，都在十五六岁之间；他们常常邀我去，请我讲故事。我们平常请五叔讲故事时，忙着替他点火，装旱烟，替他捶背。现在轮到我受人巴结了。我不用人装烟捶背，他们听我说完故事，总去泡炒米，或作蛋炒饭来请我吃。他们绣花作鞋，我讲《凤仙》《莲香》

《张鸿渐》《江城》。这样的讲书，逼我把古文的故事翻译成绩溪土话，使我更了解古文的文理。所以我到十四岁来上海开始作古文时，就能作很像样的文字了。

五

我小时身体弱，不能跟着野蛮的孩子们一块儿玩。我母亲也不准我和他们乱跑乱跳。小时不曾养成活泼游戏的习惯，无论在什么地方，我总是文绉绉的。所以家乡老辈都说我"像个先生样子"，遂叫我作"穈先生"。这个绰号叫出去之后，人都知道三先生的小儿子叫作穈先生了。既有"先生"之名，我不能不装出点"先生"样子，更不能跟着顽童们"野"了。有一天，我在我家八字门口和一班孩子"掷铜钱"，一位老辈走过，见了我，笑道："穈先生也掷铜钱吗？"我听了羞愧的面红耳热，觉得大失了"先生"的身份！

大人们鼓励我装先生样子，我也没有嬉戏的能力和习惯，又因为我确是喜欢看书，所以我一生可算是不曾享过儿童游戏的生活。每年秋天，我的庶祖母同我到田里去"监割"（顶好的田，水旱无忧，收成最好，佃户每约田主来监割，打下谷子，两家平分），我总是坐在小树下看小说。十一二岁时，我稍活泼一点，居然和一群同学组织了一个戏剧班，作了一些木刀竹枪，借得了几副假胡须，就在村口田里作戏。我作的往往是诸葛亮、刘备一类的文角儿；只有一次我作史文恭，被花荣一箭从椅子上射倒下去，这算是我最活泼的玩意儿了。

我在这九年（一八九五——一九〇四）之中，只学得了读书写字两件事。在文字和思想（看文章）的方面，不能不算是打了一点底子。但别的方面都没有发展的机会。有一次我们村里"当朋"（八都凡五村，称为"五朋"，每年一村轮着作太子会，名为"当朋"），筹备太子

会，有人提议要派我加入前村的昆腔队里学习吹笙或吹笛。族里长辈反对，说我年纪太小，不能跟着太子会走遍五朋。于是我失掉了这学习音乐的唯一机会。三十年来，我不曾拿过乐器，也全不懂音乐；究竟我有没有一点学音乐的天资，我至今还不知道。至于学图画，更是不可能的事。我常常用竹纸蒙在小说书的石印绘像上，摹画书上的英雄美人。有一天，被先生看见了，挨了一顿大骂，抽屉里的图画都被搜出撕毁了。于是我又失掉了学作画家的机会。

但这九年的生活，除了读书看书之外，究竟给了我一点作人的训练。在这一点上，我的恩师就是我的慈母。

每天天刚亮时，我母亲就把我喊醒，叫我披衣坐起。我从不知道他醒来坐了多久了。他看我清醒了，才对我说昨天我作错了什么事，说错了什么话，要我认错，要我用功读书。有时候他对我说父亲的种种好处，他说："你总要踏上你老子的脚步。我一生只晓得这一个完全的人，你要学他，不要跌他的股。"（跌股便是丢脸、出丑）他说到伤心处，往往掉下泪来。到天大亮时，他才把我的衣服穿好，催我去上早学。学堂门上的锁匙放在先生家里；我先到学堂门口一望，便跑到先生家里去敲门。先生家里有人把锁匙从门缝里递出来，我拿了跑回去，开了门，坐下念生书。十天之中，总有八九天我是第一个去开学堂门的。等到先生来了，我背了生书，才回家吃早饭。

我母亲管束我最严，他是慈母兼任严父。但他从来不在别人面前骂我一句，打我一下。我作错了事，他只对我一望，我看见了他的严厉眼光，就吓住了。犯的事小，他等到第二天早晨我眼醒时才教训我。犯的事大，他等到晚上人静时，关了房门，先责备我，然后行罚，或罚跪，或拧我的肉。无论怎样重罚，总不许我哭出声音来。他教训儿子不是借此出气叫别人听的。

有一个初秋的傍晚，我吃了晚饭，在门口玩，身上只穿着一件单背心。这时候我母亲的妹子玉英姨母在我家住，他怕我冷了，拿了一条小衫出来叫我穿上。我不肯穿,他说:"穿上吧,凉了。"我随口回答:"娘(凉)什么!老子都不老子呀。"我刚说了这句话,一抬头,看见母亲从家里走出,我赶快把小衫穿上。但他已听见这句轻薄的话了。晚上人静后,他罚我跪下,重重的责罚了一顿。他说:"你没了老子,是多么得意的事!好用来说嘴!"他气的坐着发抖,也不许我上床去睡。我跪着哭,用手擦眼泪,不知擦进了什么微菌,后来足足害了一年多的眼翳病。医来医去,总医不好。我母亲心里又悔又急,听说眼翳可以用舌头舔去,有一夜他把我叫醒,他真用舌头舔我的病眼。这是我的严师,我的慈母。

我母亲二十三岁作了寡妇,又是当家的后母。这种生活的痛苦,我的笨笔写不出一万分之一二。家中财政本不宽裕,全靠二哥在上海经营调度。大哥从小就是败子,吸鸦片烟、赌博,钱到手就光,光了就回家打主意,见了香炉就拿出去卖,捞着锡茶壶就拿出去押。我母亲几次邀了本家长辈来,给他定下每月用费的数目。但他总不够用,到处都欠下烟债赌债。每年除夕我家中总有一大群讨债的,每人一盏灯笼,坐在大厅上不肯去。大哥早已避出去了。大厅的两排椅子上满满的都是灯笼和债主。我母亲走进走出,料理年夜饭、谢灶神、压岁钱等事,只当作不曾看见这一群人。到了近半夜,快要"封门"了,我母亲才走后门出去,央一位邻舍本家到我家来,每一家债户开发一点钱。作好作歹的,这一群讨债的才一个一个提着灯笼走出去。一会儿,大哥敲门回来了。我母亲从不骂他一句,并且因为是新年,他脸上从不露出一点怒色。这样的过年,我过了六七次。

大嫂是个最无能而又最不懂事的人,二嫂是个很能干而气量很窄小的人。他们常常闹意见,只因为我母亲的和气榜样,他们还不曾有公然相打相骂的事。他们闹气时,只是不说话,不答话,把脸放下来,叫人难看;二嫂生气时,脸色变青,更是怕人。他们对我母亲闹气时,也是如此。我起初全不懂得这一套,后来也渐渐懂得看人的脸色了。我渐渐

明白,世间最可厌恶的事莫如一张生气的脸;世间最下流的事莫如把生气的脸摆给旁人看。这比打骂还难受。

我母亲的气量大,性子好,又因为作了后母后婆,他更事事留心,事事格外容忍。大哥的女儿比我只小一岁,他的饮食衣料总是和我的一样。我和他有小争执,总是我吃亏,母亲总是责备我,要我事事让他。后来大嫂、二嫂都生了儿子了,他们生气时便打骂孩子来出气,一面打,一面用尖刻有刺的话骂给别人听。我母亲只装作不听见。有时候,他实在忍不住了,便悄悄走出门去,或到左邻立大嫂家去坐一会,或走后门到后邻度嫂家去闲谈。他从不和两个嫂子吵一句嘴。

每个嫂子一生气,往往十天半个月不歇,天天走进走出,板着脸,咬着嘴,打骂小孩子出气。我母亲只忍耐着,忍到实在不可再忍的一天,他也有他的法子。这一天的天明时,他就不起床,轻轻的哭一场。他不骂一个人,只哭他的丈夫,哭他自己苦命,留不住他丈夫来照管他。他先哭时,声音很低,渐渐哭出声来。我醒了起来劝他,他不肯住。这时候,我总听得见前堂(二嫂住前堂东房)或后堂(大嫂住后堂西房)有一扇房门开了,一个嫂子走出房向厨房走去。不多一会,那位嫂子来敲我们的房门了。我开了房门,他走进来,捧着一碗热茶,送到我母亲床前,劝他止哭,请他喝口热茶。我母亲慢慢停住哭声,伸手接了茶碗。那位嫂子站着劝一会,才退出去。没有一句话提到什么人,也没有一个字提到这十天半个月来的气脸,然而各人心里明白,泡茶进来的嫂子总是那十天半个月来闹气的人。奇怪的很,这一哭之后,至少有一两个月的太平清静日子。

我母亲待人最仁慈,最温和,从来没有一句伤人感情的话。但他有时候也很有刚气,不受一点人格上的侮辱。我家五叔是个无正业的浪人,有一天在烟馆里发牢骚,说我母亲家中有事总请某人帮忙,大概总有什么好处给他。这句话传到了我母亲耳朵里,他气的大哭,请了几位本家来,把五叔喊来,他当面质问他他给了某人什么好处。直到五叔当众认错赔罪,他才罢休。

　　我在我母亲的教训之下住了九年,受了他的极大极深的影响。我十四岁(其实只有十二岁零两三个月)就离开他了。在这广漠的人海里独自混了二十多年,没有一个人管束过我。如果我学得了一丝一毫的好脾气,如果我学得了一点点待人接物的和气,如果我能宽恕人,体谅人,——我都得感谢我的慈母。

十九．十一．廿一夜

二、从拜神到无神

一

纷纷歌舞赛蛇虫,
酒醴牲牢告洁丰。
果有神灵来护佑,
天寒何故不临工?

这是我父亲在郑州办河工时(光绪十四年,一八八八)作的十首《郑工合龙纪事诗》的一首。他自己有注道:

霜雪既降,凡俗所谓"大王"、"将军"化身临工者,皆绝迹不复见矣。

"大王"、"将军"都是祀典里的河神;河工区域内的水蛇虾蟆往往被认为是大王或将军的化身,往往享受最隆重的祠祭礼拜。河工是何等大事,而国家的治河官吏不能不向水蛇虾蟆磕头乞怜,真是一个民族的最大耻辱。我父亲这首诗不但公然指斥这种迷信,并且用了一个很浅近的证据,证明这种迷信的荒诞可笑。这一点最可表现我父亲的思想的倾向。

我父亲不曾受过近世自然科学的洗礼,但他很受了程颐、朱嘉一系的理学的影响。理学家因袭了古代的自然主义的宇宙观,用"气"和"理"两个基本观念来解释宇宙,敢说"天即理也""鬼神者,二气

（阴阳）之良能也"。这种思想，虽有不彻底的地方，但可以破除不少的迷信。况且程、朱一系极力提倡"格物穷理"，教人"即物而穷其理"，这就是近世科学的态度。我父亲作的《原学》，开端便说：

天地氤氲，百物化生。

这是采纳了理学家的自然主义的宇宙观。他作的《学为人诗》的结论是：

为人之道，非有他术：
穷理致知，反躬践实，
黾勉于学，守道勿失。

这是接受了程、朱一系格物穷理的治学态度。

这些话都是我四五岁时就念熟了的。先生怎样讲解，我记不得了；我当时大概完全不懂得这些话的意义。我父亲死的太早，我离开他时，还只是三岁小孩，所以我完全不曾受着他的思想的直接影响。他留给我的，大概有两方面：一方面是遗传，因为我是"我父亲的儿子"。一方面是他留下了一点程、朱理学的遗风。我小时跟着四叔念朱子的《小学》，就是理学的遗风；四叔家和我家的大门上都贴着"僧道无缘"的条子，也就是理学家庭的一个招牌。

我记得我家新屋大门上的"僧道无缘"条子，从大红色褪到粉红，又渐渐变成了淡白色，后来竟完全剥落了。我家中的女眷都是深信神佛的。我父亲死后，四叔又上任作学官去了，家中的女眷就自由拜神佛了。女眷的宗教领袖是星五伯娘，他到了晚年，吃了长斋，拜佛念经，四叔和三哥（是他过继的孙子）都不能劝阻他，后来又添上了二哥的丈母，也是吃长斋念佛的，他常来我家中住。这两位老太婆作了好朋友，常劝诱家中的几房女眷信佛。家中人有病痛，往往请他们念经许愿还愿。

二哥的丈母颇认得字，带来了《玉历钞传》《妙庄王经》一类的善书，常给我们讲说目连救母游地府、妙庄王的公主（观音）出家修行等等故事。我把他带来的书都看了，又在戏台上看了《观音娘娘出家》

全本连台戏,所以脑子里装满了地狱的惨酷景象。

后来三哥得了肺痨病,生了几个孩子都不曾养大。星五伯娘常为三哥拜神佛、许愿,甚至于招集和尚在家中放焰口超度冤魂。三哥自己不肯参加行礼,伯娘常叫我去代替三哥跪拜行礼。我自己年幼身体也很虚弱,多病痛,所以我母亲也常请伯娘带了我去烧香拜佛。依家乡的风俗,我母亲也曾把我许在观音菩萨座下作弟子,还给我取了个佛名,上一字是个"观"字,下一字我忘了。我母亲爱我心切,时时教我拜佛拜神总须诚心敬礼。每年他同我上外婆家去,十里路上所过庙宇路亭,凡有神佛之处,他总教我拜揖。有一年我害肚痛,眼睛里又起翳,他代我许愿:病好之后亲自到古塘山观音菩萨座前烧香还愿。后来我病好了,他亲自跟伯娘带了我去朝拜古塘山。山路很难走,他的脚是终年疼的,但他为了儿子,步行朝山,上山时走几步便须坐下歇息,却总不说一声苦痛。我这时候自然也是很诚心的跟着他们礼拜。

我母亲盼望我读书成名,所以常常叮嘱我每天要拜孔夫子。禹臣先生学堂壁上挂着一幅朱印石刻的吴道子画的孔子像,我们每晚放学时总得对他拜一个揖。我到大姊家去拜年,看见了外甥章砚香(比我大几岁)供着一个孔夫子神龛,是用大纸匣子作的,用红纸剪的神位,用火柴盒子作的祭桌,桌子上贴着金纸剪的香炉烛台和供献,神龛外边贴着许多红纸金纸的圣庙匾额对联,写着"德配天地,道冠古今"一类的句子。我看了这神龛,心里好生羡慕,回到家里,也造了一座小圣庙。我在家中寻到了一只燕窝匣子,作了圣庙大庭;又把匣子中间挖空一方块,用一只午时茶小匣子糊上去,作了圣庙的内堂,堂上也设了祭桌、神位、香炉、烛台等等。我在两厢又添设了颜渊、子路一班圣门弟子的神位,也都有小祭桌。我借得了一部《联语类编》,抄出了许多圣庙联匾句子,都用金银锡箔作成匾对,请近仁叔写了贴上。这一座孔庙很费了我不少的心思。我母亲见我这样敬礼孔夫子,他十分高兴,给我一张小桌子专供这神龛,并且给我一个铜香炉;每逢初一和十五,他总教我焚香敬礼。

这座小圣庙,因为我母亲的加意保存,到我二十七岁从外国回家时,还不曾毁坏。但我的宗教虔诚却早已摧毁破坏了。我在十一二岁时便已变成了一个无神论者。

二

有一天,我正在温习朱子的《小学》,念到了一段司马温公的家训,其中有论地狱的话,说:

形既朽灭,神亦飘散,虽有剉烧舂磨,亦无所施……

我重读了这几句话,忽然高兴的直跳起来。《目连救母》《玉历钞传》等书里的地狱惨状,都呈现在我眼前,但我觉得都不怕了。放焰口的和尚陈设在祭坛上的十殿阎王的画像,和十八层地狱的种种牛头马面用钢叉把罪人叉上刀山,叉下油锅,抛下奈何桥下去喂饿狗毒蛇,——这种种惨状也都呈现在我眼前,但我现在觉得都不怕了。我再三念这句话:"形既朽灭,神亦飘散,虽有剉烧舂磨,亦无所施。"我心里很高兴,真像地藏王菩萨把锡杖一指,打开地狱门了。

这件事我记不清在那一年了,大概在十一岁时。这时候,我已能够自己看古文书了。禹臣先生教我看《纲鉴易知录》,后来又教我改看《御批通鉴辑览》。《易知录》有句读,故我不觉吃力。《通鉴辑览》须我自己用朱笔点读,故读的很迟缓。有一次二哥从上海回来,见我看《御批通鉴辑览》,他不赞成;他对禹臣先生说,不如看《资治通鉴》。于是我就点读《资治通鉴》了。这是我研究中国史的第一步。我不久便很喜欢这一类的历史书,并且感觉朝代帝王年号的难记,就想编一部《历代帝王年号歌诀》!近仁叔很鼓励我作此事,我真动手编这部七字句的历史歌诀了。此稿已遗失了,我已不记得这件野心工作编到了那一朝代。但这也可算是我的"整理国故"的破土工作。可是谁也想不到司马光的《资治通鉴》竟会大大的影响我的宗教信仰,竟会使我变成

一个无神论者。

有一天,我读到《资治通鉴》第一百三十六卷,中有一段记范缜(齐梁时代人,死时约在西历五一〇年)反对佛教的故事,说:

> 缜著《神灭论》,以为"形者神之质,神者形之用也。神之于形,犹利之于刀。未闻刀没而利存,岂容形亡而神在哉?"此论出,朝野喧哗,难之,终不能屈。

我先已读司马光论地狱的话了,所以我读了这一段议论,觉得非常明白,非常有理。司马光的话教我不信地狱,范缜的话使我更进一步,就走上了无鬼神的路。范缜用了一个譬喻,说形和神的关系就像刀子和刀口的锋利一样;没有刀子,便没有刀子的"快"了;那么,没有形体,还能有神魂吗?这个譬喻是很浅显的,恰恰合一个初开知识的小孩子的程度,所以我越想越觉得范缜说的有道理。司马光引了这三十五个字的《神灭论》,居然把我脑子里的无数鬼神都赶跑了。从此以后,我不知不觉的成了一个无鬼无神的人。

我那时并不知道范缜的《神灭论》全文载在《梁书》(卷四八)里,也不知道当时许多人驳他的文章保存在《弘明集》里。我只读了这三十五个字,就换了一个人。大概司马光也受了范缜的影响,所以有"形既朽灭,神亦飘散"的议论;大概他感谢范缜,故他编《通鉴》时,硬把《神灭论》摘了最精彩的一段,插入他的不朽的历史里。他决想不到,八百年后这三十五个字竟感悟了一个十一二岁的小孩子,竟影响了他一生的思想。

《通鉴》又记述范缜和竟陵王萧子良讨论"因果"的事,这一段在我的思想上也发生了很大的影响。原文如下:

> 子良笃好释氏,招致名僧,讲论佛法。道俗之盛,江左未有。或亲为众僧赋食行水,世颇以为失宰相体。
>
> 范缜盛称无佛。子良曰,"君不信因果,何得有富贵贫贱?"缜曰,"人生如树花同发,随风而散,或拂帘幌,坠茵席之上;或关篱墙,落粪溷之中。坠茵席者,殿下是也。落粪溷者,下官是

也。贵贱虽复殊途，因果竟在何处？"子良无以难。

这一段议论也只是一个譬喻，但我当时读了只觉得他说的明白有理，就熟读了记在心里。我当时实在还不能了解范缜的议论的哲学意义。他主张一种"偶然论"，用来破坏佛教的果报轮回说。我小时听惯了佛家果报轮回的教训，最怕来世变猪变狗，忽然看见了范缜不信因果的譬喻，我心里非常高兴，胆子就大的多了。他和司马光的神灭论教我不怕地狱，他的无因果论教我不怕轮回。我喜欢他们的话，因为他们教我不怕。我信服他们的话，因为他们教我不怕。

三

我的思想经过了这回解放之后，就不能虔诚拜神拜佛了。但我在我母亲面前，还不敢公然说出不信鬼神的议论。他叫我上分祠里去拜祖宗，或去烧香还愿，我总不敢不去，满心里的不愿意，我终不敢让他知道。

我十三岁的正月里，我到大姊家去拜年，住了几天，到十五日早晨，才和外甥砚香同回我家去看灯。他家的一个长工挑着新年糕饼等物事，跟着我们走。

半路上到了中屯外婆家，我们进去歇脚，吃了点心，又继续前进。中屯村口有个三门亭，供着几个神像。我们走进亭子，我指着神像对砚香说，"这里没有人看见，我们来把这几个烂泥菩萨拆下来抛到毛厕里去，好吗？"

这样突然主张毁坏神像，把我的外甥吓住了。他虽然听我说过无神无鬼的话，却不曾想到我会在这路亭里提议实行捣毁神像。他的长工忙劝告阻我道："穈舅，菩萨是不好得罪的。"我听了这话，更不高兴，偏要拾石子去掷神像。恰好村子里有人下来了，砚香和那长工就把我劝走了。

我们到了我家中，我母亲煮面给我们吃，我刚吃了几筷子，听见门外锣鼓响，便放下面，跑出去看舞狮子了。这一天来看灯的客多，家中人都忙着照料客人，谁也不来管我吃了多少面。我陪着客人出去玩，也就忘了肚子饿了。

晚上陪客人吃饭，我也喝了一两杯烧酒。酒到了饿肚子里，有点作怪。晚饭后，我跑出大门外，被风一吹，我有点醉了，便喊道："月亮，月亮，下来看灯！"别人家的孩子也跟着喊，"月亮，月亮，下来看灯！"

门外的喊声被屋里人听见了，我母亲叫人来唤我回去。我怕他责怪，就跑出去了。来人追上去，我跑的更快。有人对我母亲说，我今晚喝了烧酒，怕是醉了。我母亲自己出来唤我，这时候我已被人追回来了。但跑多了，我真有点醉了，就和他们抵抗，不肯回家。母亲抱住我，我仍喊着要月亮下来看灯。许多人围拢来看，我仗着人多，嘴里仍旧乱喊。母亲把我拖进房里，一群人拥进房来看。

这时候，那位跟我们来的章家长工走到我母亲身边，低低的说："外婆（他跟着我的外甥称呼），糜舅今夜怕不是吃醉了罢？今天我们从中屯出来，路过三门亭，糜舅要把那几个菩萨拖下来丢到毛厕里去。他今夜嘴里乱说话，怕是得罪了神道，神道怪下来了。"

这几句话，他低低的说，我靠在母亲怀里，全听见了。我心里正怕喝醉了酒，母亲要责罚我；现在我听了长工的话，忽然想出了一条妙计。我想："我胡闹，母亲要打我；菩萨胡闹，他不会责怪菩萨。"于是我就闹的更凶，说了许多疯话，好像真有鬼神附在我身上一样！

我母亲着急了，叫砚香来问，砚香也说我日里的确得罪了神道。母亲就叫别人来抱住我，他自己去洗手焚香，向空中祷告三门亭的神道，说我年小无知，触犯了神道，但求神道宽洪大量，不计较小孩的罪过，宽恕了我，我们将来一定亲到三门亭去烧香还愿。

这时候，邻舍都来看我，挤满了一屋子的人，有些妇子还提着"火筒"（徽州人冬天用瓦炉装炭火，外面用篾丝作篮子，可以随身携带),房间里闷热的很。我热的脸都红了,真有点像醉人。

忽然门外有人来报信,说,"龙灯来了,龙灯来了!"男男女女都往外跑,都想赶到十字街口去等候看灯。一会儿,一屋子的人都散完了,只剩下我和母亲两个人。房里的闷热也消除了,我也疲倦了,就不知不觉的睡着了。

母亲许的愿好像是灵应了。第二天,他教训了我一场,说我不应该瞎说,更不应该在神道面前瞎说。但他不曾责罚我,我心里高兴,万想不到我的责罚却在一个月之后。

过了一个月,母亲同我上中屯外婆家去。他拿出钱来,在外婆家办了猪头供献,备了香烛纸钱,他请我母舅领我到三门亭里去谢神还愿。我母舅是个虔诚的人,他恭恭敬敬的摆好供献,点起香烛,陪着我跪拜谢神。我忍住笑,恭恭敬敬的行了礼,——心里只怪我自己当日扯谎时不曾想到这样比挨打还更难为情的责罚!

直到我二十七岁回家时,我才敢对母亲说那一年元宵节附在我身上胡闹的不是三门亭的神道,只是我自己,母亲也笑了。

十九.十二.廿五,在北京

三、在上海（一）

一

光绪甲辰年（一九〇四）的春天，三哥的肺病已到了很危险的时期，他决定到上海去医治。我母亲也决定叫我跟他到上海去上学。那时我名为十四岁，其实只有十二岁有零。这一次我和母亲分别之后，十四年之中，我只回家三次，和他在一块的时候还不到六个月。他只有我一个人，只因为爱我太深，望我太切，所以他硬起心肠，送我向远地去求学。临别的时候，他装出很高兴的样子，不曾掉一滴眼泪。我就这样出门去了，向那不知的人海里去寻求我自己的教育和生活，——孤零零的一个小孩子，所有的防身之具只是一个慈母的爱，一点点用功的习惯，和一点点怀疑的倾向。

我在上海住了六年（一九〇四——一九一〇），换了四个学校（梅溪学堂，澄衷学堂，中国公学，中国新公学）。这是我一生的第二个段落。

我父亲生平最佩服一个朋友——上海张焕纶先生（字经甫）。张先生是提倡新教育最早的人，他自己办了一个梅溪书院，后来改为梅溪学堂。二哥、三哥都在梅溪书院住过，所以我到了上海也就进了梅溪学堂。我只见过张焕纶先生一次，不久他就死了。现在谈中国教育史的人,很少能知道这一位新教育的老先锋了。他死了二十二年之后,我在巴黎见着赵诒琦先生(字颂南,无锡人),他是张先生的得意学生,他说他在梅溪书院很久,最佩服张先生的人格,受他的感化最深。他说,张先生教人的宗旨只是一句话:"千万不要仅仅作个自了汉。"我坐在巴黎乡间的草地上,听着赵先生说话,想着赵先生夫妇的刻苦生活和奋斗精神,——这时候,我心里想:张先生的一句话影响了他的一个学生的一生,张先生的教育事业不算是失败。

梅溪学堂的课程是很不完备的,只有国文、算学、英文三项。分班的标准是国文程度。英文、算学的程度虽好,国文不到头班,仍不能毕业。国文到了头班,英文、算学还很幼稚,却可以毕业。这个办法虽然不算顶好,但这和当时教会学堂的偏重英文,都是过渡时代的特别情形。

我初到上海的时候,全不懂得上海话。进学堂拜见张先生时,我穿着蓝呢的夹袍,绛色呢大袖马褂,完全是个乡下人。许多小学生围拢来看我这乡下人。因为我不懂话,又不曾"开笔"作文章,所以暂时编在第五班,差不多是最低的一班。班上读的是文明书局的《蒙学读本》,英文班上用《华英初阶》,算学班上用《笔算数学》。

我是读了许多古书的,现在读《蒙学读本》,自然毫不费力,所以有工夫专读英文、算学。这样过了六个星期。到了第四十二天,我的机会来了。教《蒙学读本》的沈先生大概也瞧不起这样浅近的书,更料不到这班小孩子里面有人站起来驳正他的错误。这一天,他讲的一课书里有这样一段引语:

传曰,二人同心,其利断金。同心之言,其臭如兰。

沈先生随口说这是《左传》上的话。我那时已勉强能说几句上海话了,等他讲完之后,我拿着书,走到他的桌边,低声对他说:这个"传曰"是《易经》的《系辞传》,不是《左传》。先生脸红了,说,"侬读过《易经》?"我说读过。他又问,"阿曾读过别样经书?"我说读

过《诗经》、《书经》、《礼记》。他问我作过文章没有,我说没有作过。他说,"我出个题目,拨侬作作试试看。"他出了"孝弟说"三个字,我回到座位上,勉强写了一百多字,交给先生看。他看了对我说,"侬跟我来。"我卷了书包,跟他下楼走到前厅。前厅上东面是头班,西面是二班。沈先生到二班课堂上,对教员顾先生说了一些话,顾先生就叫我坐在末一排的桌子上。我才知道我一天之中升了四班,居然作第二班的学生了。

可是我正在欢喜的时候,抬头一看,就得发愁了。这一天是星期四,是作文的日子。黑板上写着两个题目:

论题:原日本之所由强。

经义题:古之为关也将以御暴,今之为关也将以为暴。

我从来不知道"经义"是怎样作的,所以想都不敢去想它。可是日本在天南地北,我还不很清楚,这个"原日本之所由强"又从那里说起呢?既不敢去问先生,班上同学又没有一个熟人,我心里颇怪沈先生太鲁莽,不应该把我升的这么高,这么快。

忽然学堂的茶房走到厅上来,对先生说了几句话,呈上一张字条,先生看了字条,对我说,我家中有要紧事,派了人来领我回家,卷子可以带回去作,下星期四交卷。我正在着急,听了先生的话,抄了题目,逃出课堂,赶到门房,才知道三哥病危,二哥在汉口没有回来,店里(我家那时在上海南市开一个公义油栈)的管事慌了,所以赶人来领我回去。

我赶到店里,三哥还能说话。但不到几个钟头,他就死了,死时他的头还靠在我手腕上。第三天,二哥从汉口赶到。丧事办了之后,我把升班的事告诉二哥,并且问他"原日本之所由强"一个题目应该参考一些什么书。二哥捡了《明治维新三十年史》、壬寅《新民丛报汇编》……一类的书,装了一大篮,叫我带回学堂去翻看。费了几天的工夫,才勉强凑了一篇论说交进去。不久我也会作"经义"了。几个月之后，我居然算是头班学生了，但英文还不曾读完《华英初阶》，算学还只作到《利息》。

这一年梅溪学堂改为梅溪小学，年底要办毕业第一班。我们听说学堂里要送张在贞、王言、郑璋和我四个人到上海道衙门去考试。我和王、郑三人都不愿意去考试，都不等到考试日期，就离开学堂了。

为什么我们不愿受上海道的考试呢？这一年之中，我们都经过了思想上的一种激烈变动，都自命为"新人物"了。二哥给我的一大篮子的"新书"，其中很多是梁启超先生一派人的著述；这时代是梁先生的文章最有势力的时代，他虽不曾明白提倡种族革命，却在一班少年人的脑海里种下了不少革命种子。有一天，王言君借来了一本邹容的《革命军》，我们几个人传观，都很受感动。借来的书是要还人的，所以我们到了晚上，等舍监查夜过去之后，偷偷起来点着蜡烛，轮流抄了一本《革命军》。正在传抄《革命军》的少年，怎肯投到官厅去考试呢？

这一年是日俄战争的第一年，上海的报纸上每天登着很详细的战事新闻，爱看报的少年学生都感觉绝大的兴奋。这时候中国的舆论和民众心理都表同情于日本，都痛恨俄国，又都痛恨清政府的宣告中立。仇俄的心理增加了不少排满的心理。这一年，上海发生了几件刺激人心的案子，一件是革命党万福华在租界内枪击前广西巡抚王之春，因为王之春从前是个联俄派。一件是上海黄浦滩上一个宁波木匠周生有被一个俄国水兵无故砍杀。这两件事都引起上海报纸的注意，尤其是那年新出现的《时报》，天天用简短沉痛的时评替周生有喊冤，攻击上海的官厅。我们少年人初读这种短评，没有一个不受刺激的。周生有案的判决使许多人失望。我和王言、郑璋三个人都恨极了上海道袁海观，所以联合写了一封长信去痛骂他。这封信是匿名的，但我们总觉得不愿意去受他的考试，所以我们三个人都离开了梅溪学堂了（王言是黟县人，后来不知下落；郑璋是潮阳人，后改名仲诚，毕业于复旦，不久病死）。

二

我进的第二个学堂是澄衷学堂。这学堂是宁波富商叶成忠先生创办的，原来的目的是教育宁波的贫寒子弟；后来规模稍大，渐渐成了上海一个有名的私立学校，来学的人便不限止于宁波人了。这时候的监督是章一山先生，总教是白振民先生。白先生和我二哥是同学，他看见了我在梅溪作的文字，劝我进澄衷学堂。光绪乙巳年（一九〇五），我就进了澄衷学堂。

澄衷共有十二班，课堂分东西两排，最高一班称为东一斋，第二班为西一斋，以下直到西六斋。这时候还没有严格规定的学制，也没有什么中学小学的分别。用现在的名称来分，可说前六班为中学，其余六班为小学。澄衷的学科比较完全多了，国文、英文、算学之外，还有物理、化学、博物、图画诸科。分班略依各科的平均程度，但英文、算学程度过低的都不能入高班。

我初进澄衷时，因英文、算学太低，被编在东三斋（第五班）。下半年便升入东二斋（第三班），第二年（丙午，一九〇六）又升入西一斋（第二班）。澄衷管理很严，每月有月考，每半年有大考，月考大考都出榜公布，考前三名的有奖品。我的考试成绩常常在第一，故一年升了四班。我在这一年半之中，最有进步的是英文、算学。教英文的谢昌熙先生、陈诗豪先生、张镜人先生，教算学的郁耀卿先生，都给了我很多的益处。

我这时候对于算学最感觉兴趣，常常在宿舍熄灯之后，起来演习算学问题。卧房里没有桌子，我想出一个法子来，把蜡烛放在帐子外床架上，我伏在被窝里，仰起头来，把石板放在枕头上作算题。因为下半年要跳过一班，所以我须要自己补习代数。我买了一部丁福保先生编的代数书，在一个夏天把初等代数习完了，下半年安然升班。

这样的用功，睡眠不够，就影响到身体的健康，有一个时期，我的两只耳朵几乎全聋了。但后来身体渐渐复原，耳朵也不聋了。我小时身体多病，出门之后，逐渐强健。重要的原因我想是因为我在梅溪和澄衷两年半之中从来不曾缺一点钟体操的功课。我从没有加入竞赛的运动，但我上体操的课，总很用气力作种种体操。

澄衷的教员之中，我受杨千里先生（天骥）的影响最大。我在东三斋时，他是西二斋的国文教员，人都说他思想很新。我去看他，他很鼓励我，在我的作文稿本上题了"言论自由"四个字。后来我在东二斋和西一斋，他都作过国文教员。有一次，他教我们班上买吴汝纶删节的严复译本《天演论》来作读本，这是我第一次读《天演论》，高兴的很。他出的作文题目也很特别，有一次的题目是"物竞天择，适者生存，试申其义"（我的一篇，前几年澄衷校长曹锡爵先生和现在的校长葛祖兰先生曾在旧课卷内寻出，至今还保存在校内）。这种题目自然不是我们十几岁小孩子能发挥的，但读《天演论》，作"物竞天择"的文章，都可以代表那个时代的风气。

《天演论》出版之后，不上几年，便风行到全国，竟作了中学生的读物了。读这书的人，很少能了解赫胥黎在科学史和思想史上的贡献。他们能了解的只是那"优胜劣败"的公式在国际政治上的意义。在中国屡次战败之后，在庚子、辛丑大耻辱之后，这个"优胜劣败、适者生存"的公式确是一种当头棒喝，给了无数人一种绝大的刺激。几年之中，这种思想像野火一样，延烧着许多少年人的心和血。"天演"、"物竞"、"淘汰"、"天择"等等术语都渐渐成了报纸文章的熟语，渐渐成了一班爱国志士的"口头禅"。还有许多人爱用这种名词作自己和儿女的名字。陈炯明不是号竞存吗？我有两个同学，一个叫作孙竞存，一个叫作杨天择。我自己的名字也是这种风气底下的纪念品。我在学堂里的名字是胡洪骍。有一天的早晨，我请二哥代我想一个表字，二哥一

面洗脸，一面说："就用'物竞天择适者生存'的'适'字，好不好？"我很高兴，就用"适之"两字（二哥字绍之，三哥字振之）。后来我发表文字，偶然用胡适作笔名，直到考试留美官费时（一九一〇）我才正式用"胡适"的名字。

我在澄衷一年半，看了一些课外的书籍。严复译的《群己权界论》，像是在这时代读的。严先生的文字太古雅，所以少年人受他的影响没有梁启超的影响大。梁先生的文章，明白晓畅之中，带着浓挚的热情，使读的人不能不跟着他走，不能不跟着他想。有时候，我们跟他走到一点上，还想望前走，他倒打住了，或是换了方向走了。在这种时候，我们不免感觉一点失望。但这种失望也正是他的大恩惠。因为他尽了他的能力，把我们带到了一个境界，原指望我们感觉不满足，原指望我们更朝前走。跟着他走，我们固然得感谢他；他引起了我们的好奇心，指着一个未知的世界叫我们自己去探寻，我们更得感谢他。

我个人受了梁先生无穷的恩惠，现在追想起来，有两点最分明。第一是他的《新民说》，第二是他的《中国学术思想变迁之大势》。梁先生自号"中国之新民"，又号"新民子"，他的杂志也叫《新民丛报》，可见他的全副心思贯注在这一点。"新民"的意义是要改造中国的民族，要把这老大的病夫民族改造成一个新鲜活泼的民族。他说：

> 未有四肢已断，五脏已瘵，筋脉已伤，血轮已涸，而身犹能存者；则亦未有其民愚陋怯弱涣散混浊而国犹能立者。……苟有新民，何患无新制度，无新政府，无新国家！

——《新民说·叙论》

他的根本主张是：

> 吾思之，吾重思之，今日中国群治之现象殆无一不当从根柢处摧陷廓清，除旧而布新者也。

——《新民议》

说的更沉痛一点：

然则救危亡求进步之道将奈何？曰，必取数千年横暴混浊之政体，破碎而齑粉之，使数千万如虎如狼如蝗如螟如蜮如蛆之官吏失其社鼠城狐之凭借，然后能涤荡肠胃以上于进步之途也！必取数千年腐败柔媚之学说，廓清而辞辟之，使数百万如蠹鱼如鹦鹉如水母如畜犬之学子毋得摇笔弄舌舞文嚼字，为民贼之后援，然后能一新耳目以行进步之实也！而其所以达此目的之方法有二：一曰无血之破坏，二曰有血之破坏……中国如能为无血之破坏乎？吾馨香而祝之。中国得不为有血之破坏乎？吾衰绖而衰之。

——《新民说·论进步》

我们在那个时代读这样的文字，没有一个人不受他的震荡感动的。他在那时代（我那时读的是他在壬寅癸卯作的文字）主张最激烈，态度最鲜明，感人的力量也最深刻。他很明白的提出一个革命的口号：

　　破坏亦破坏，不破坏亦破坏！

——《新民说·论进步》

后来他虽然不坚持这个态度了，而许多少年人冲上前去，可不肯缩回来了。

《新民说》的最大贡献在于指出中国民族缺乏西洋民族的许多美德。梁先生很不客气的说：

　　五色人相比较，白人最优。以白人相比较，条顿人最优。以条顿人相比较，盎格鲁撒逊人最优。

——《叙论》

他指出我们所最缺乏而最须采补的是公德，是国家思想，是进取冒险，是权利思想，是自由，是自治，是进步，是自尊，是合群，是生利的能力，是毅力，是义务思想，是尚武，是私德，是政治能力。他在这十几篇文字里，抱着满腔的血诚，怀着无限的信心，用他那枝"笔锋常带情感"的健笔，指挥那无数的历史例证，组织成那些能使人鼓舞，使人掉泪，使人感激奋发的文章。其中如《论毅力》等篇，我在二十五

年后重读,还感觉到他的魔力。何况在我十几岁最容易受感动的时期呢?

《新民说》诸篇给我开辟了一个新世界,使我彻底相信中国之外还有很高等的民族,很高等的文化;《中国学术思想变迁之大势》也给我开辟了一个新世界,使我知道《四书》《五经》之外中国还有学术思想。梁先生分中国学术思想史为七个时代:

(一)胚胎时代　春秋以前

(二)全盛时代　春秋末及战国

(三)儒学统一时代　两汉

(四)老学时代　魏晋

(五)佛学时代　南北朝、唐

(六)儒佛混合时代　宋、元、明

(七)衰落时代　近二百五十年

我们现在看这个分段,也许不能满意(梁先生自己后来也不满意,他在《清代学术概论》里已不认为近二百五十年为衰落时代了)。但在二十五年前,这是第一次用历史眼光来整理中国旧学术思想,第一次给我们一个"学术史"的见解。所以我最爱读这篇文章。不幸梁先生作了几章之后,忽然停止了,使我大失所望。甲辰以后,我在《新民丛报》上见他续作此篇,我高兴极了。但我读了这篇长文,终感觉不少的失望。第一,他论"全盛时代",说了几万字的诸论,却把"本论"(论诸家学说之根据及其长短得失)全搁下了,只注了一个"缺"字。他后来只补作了"子墨子学说"一篇,其余各家始终没有补。第二,"佛学时代"一章的本论一节也全没有作。第三,他把第六个时代(宋、元、明)整个搁起不提。这一部学术思想史中间缺了三个最要紧的部分,使我眼巴巴的望了几年。我在那失望的时期,自己忽发野心,心想:"我将来若能替梁任公先生补作这几章缺了的中国学术思想史,岂不是很光荣的事业?"我越想越高兴,虽然不敢告诉人,却真打定主意作这件事了。

这一点野心就是我后来作《中国哲学史》的种子。我从那时候起，就留心读周、秦诸子的书。我二哥劝我读朱子的《近思录》，这是我读理学书的第一部。梁先生的《德育鉴》和《节本明儒学案》，也是这个时期出来的。这些书引我去读宋、明理学书，但我读的并不多，只读了王守仁的《传习录》和《正义堂丛书》内的程、朱语录。

我在澄衷的第二年，发起各斋组织"自治会"。有一次，我在自治会演说，题目是《论性》。我驳孟子性善的主张，也不赞成荀子的性恶说，我承认王阳明的性"无善无恶，可善可恶"是对的。我那时正读英文和《格致读本》(The Science Readers)，懂得了一点点最浅近的科学知识，就搬出来应用了！孟子曾说：

> 人性之善也，犹水之就下也。人无有不善，水无有不下。

我说：孟子不懂得科学，——我们在那时候还叫作"格致"，——不知道水有保持水平的道理，又不知道地心吸力的道理。"水无有不下"，并非水性向下，而是地心吸力引它向下。吸力可以引它向下，高地的蓄水塔也可以使自来水管里的水向上。水无上无下，只保持它的水平，却又可上可下，正像人性本无善无恶，却又可善可恶！

我这篇性论很受同学的欢迎，我也很得意，以为我真用科学说明告子、王阳明的性论了。

我在澄衷只住了一年半，但英文和算学的基础都是在这里打下的。澄衷的好处在于管理的严肃，考试的认真。还有一桩好处，就是学校办事人真能注意到每个学生的功课和品行。白振民先生自己虽不教书，却认得个个学生，时时叫学生去问话。因为考试的成绩都有很详细的记录，故每个学生的能力都容易知道。天资高的学生，可以越级升两班；中等的可以半年升一班；下等的不升班，不升班就等于降半年了。这种编制和管理，是很可以供现在办中学的人参考的。

我在西一斋作了班长，不免有时和学校办事人冲突。有一次，为了

班上一个同学被开除的事,我向白先生抗议无效,又写了一封长信去抗议。白先生悬牌责备我,记我大过一次。我虽知道白先生很爱护我,但我当时心里颇感觉不平,不愿继续在澄衷了。恰好夏间中国公学招考,有朋友劝我去考;考取之后,我就在暑假后(一九○六)搬进中国公学去了。

廿,三,十八,北京

四、在上海（二）

一

中国公学是因为光绪乙巳年（一九〇五）日本文部省颁布取缔中国留学生规则，我国的留日学生认为侮辱中国，其中一部分愤慨回国的人在上海创办的。当风潮最烈的时候，湖南陈天华投海自杀，勉励国人努力救国，一时人心大震动，所以回国的很多。回国之后，大家主张在国内办一个公立的大学。乙巳十二月中，十三省的代表全体会决议，定名为"中国公学"。次年（丙午，一九〇六）春天在上海新靶子路黄板桥北租屋开学。但这时候反对取缔规则的风潮已渐渐松懈了，许多官费生多回去复学了。上海那时还是一个眼界很小的商埠，看见中国公学里许多剪发洋装的少年人自己办学堂，都认为是奇怪的事。政府官吏疑心他们是革命党，社会叫他们作怪物。所以赞助捐钱的人很少，学堂开门不到一个半月，就陷入了绝境。公学的干事姚弘业先生（湖南益阳人）激于义愤，遂于三月十三日投江自杀，遗书几千字，说，"我之死，为中国公学死也。"遗书发表之后，舆论都对他表敬意，社会受了一大震动，赞助的人稍多，公学才稍稍站得住。

我也是当时读了姚烈士的遗书大受感动的一个小孩子。夏天我去投考，监试的是总教习马君武先生。国文题目是《言志》，我不记得说了一些什么，后来君武先生告诉我，他看了我的卷子，拿去给谭心休、彭

施涤先生传观，都说是为公学得了一个好学生。

我搬进公学之后，见许多同学都是剪了辫子，穿着和服，拖着木屐的；又有一些是内地刚出来的老先生，带着老花眼镜，捧着水烟袋的。他们的年纪都比我大的多；我是作惯班长的人，到这里才感觉我是个小孩子。不久我已感得公学的英文数学都很浅，我在甲班里很不费气力。那时候，中国教育界的科学程度太浅，中国公学至多不过可比现在的两级中学程度，然而有好几门功课都不能不请日本教员来教。如高等代数、解析几何、博物学，最初都是日本人教授，由懂得日语的同学翻译。甲班的同学有朱经农、李琴鹤等，都曾担任翻译。又有几位同学还兼任学校的职员或教员，如但懋辛便是我们的体操教员。当时的同学和我年纪不相上下的，只有周烈忠、李骏、孙粹存、孙竞存等几个人。教员和年长的同学都把我们看作小弟弟，特别爱护我们，鼓励我们。我和这一班年事稍长、阅历较深的师友们往来，受他们的影响最大。我从小本来就没有过小孩子的生活，现在天天和这班年长的人在一块，更觉得自己不是个小孩子了。

中国公学的教职员和同学之中，有不少的革命党人。所以在这里要看东京出版的《民报》，是最方便的。暑假年假中，许多同学把《民报》缝在枕头里带回内地去传观。还有一些激烈的同学往往强迫有辫子的同学剪去辫子。但我在公学三年多，始终没有人强迫我剪辫，也没有人劝我加入同盟会。直到二十年后，但懋辛先生才告诉我，当时校里的同盟会员曾商量过，大家都认为我将来可以作学问，他们要爱护我，所以不劝我参加革命的事。但在当时，他们有些活动也并不瞒我。有一晚十点钟的时候，我快睡了，但君来找我，说，有个女学生从日本回国，替朋友带了一只手提小皮箱，江海关上要检查，他说没有钥匙，海关上不放行。但君因为我可以说几句英国话，要我到海关上去办交涉。我知道箱子里是危险的违禁品，就跟了他到海关码头，这时候已过十一点钟，谁都不在了，我们只好怏怏回去。第二天，那位女学生也走了，箱子他丢在关上不要了。

我们现在看见上海各学校都用国语讲授，决不能想象二十年前的上海还完全是上海话的世界，各学校全用上海话教书。学生全得学上海话。中国公学是第一个用"普通话"教授的学校。学校里的学生，四川、湖南、河南、广东的人最多，其余各省的人也差不多全有。大家都说"普通话"，教员也用"普通话"。江浙的教员，如宋耀如、王仙华、沈翔云诸先生，在讲堂上也都得勉强说官话。我初入学时，只会说徽州话和上海话；但在学校不久也就会说"普通话"了。我的同学中四川人最多；四川话清楚干净，我最爱学他，所以我说的普通话最近于四川话。二三年后，我到四川客栈（元记、厚记等）去看朋友，四川人只问，"贵府是川东？是川南？"他们都把我看作四川人了。

中国公学创办的时候，同学都是创办人，职员都是同学中举出来的，所以没有职员和学生的界限。当初创办的人都有革命思想，想在这学校里试行一种民主政治的制度。姚弘业烈士遗书中所谓"以大公无我之心，行共和之法"，即是此意。全校的组织分为"执行"与"评议"两部。执行部的职员（教务干事、庶务干事、斋务干事）都是评议部举出来的，有一定的任期，并且对于评议部要负责任。评议部是班长和室长组织成的，有监督和弹劾职员之权。评议部开会时，往往有激烈的辩论，有时直到点名熄灯时方才散会。评议员之中，最出名的是四川人龚从龙，口齿清楚，态度从容，是一个好议长。这种训练是很有益的。我年纪太小，第一年不够当评议员，有时在门外听听他们的辩论，不禁感觉我们在澄衷学堂的自治会真是儿戏。

二

我第一学期住的房间里有好几位同学都是江西萍乡和湖南醴陵人，他们是邻县人，说的话我听不大懂。但不到一个月，我们很相熟了。他们都是二三十岁的人了；有一位钟文恢（号古愚）已有胡子，人叫他

作钟胡子。他告诉我,他们现在组织了一个学会,叫作竞业学会,目的是"对于社会,竞与改良;对于个人,争自濯磨",所以定了这个名字。他介绍我进这个会,我答应了。钟君是会长,他带我到会所里去,给我介绍了一些人。会所在校外北四川路厚福里。会中住的人大概多是革命党。有个杨卓林,还有个廖德璠,后来是都因谋革命被杀的。会中办事最热心的人,钟君之外,有谢寅杰和丁洪海两君,他两人维持会务最久。

竞业学会的第一件事业就是创办一个白话的旬报,就叫作《竞业旬报》。他们请了一位傅君剑先生(号钝根)来作编辑。《旬报》的宗旨,傅君说,共有四项:一振兴教育,二提倡民气,三改良社会,四主张自治。其实这都是门面语,骨子里是要鼓吹革命。他们的意思是要"传布于小学校之青年国民",所以决定用白话文。胡梓方先生(后来的诗人胡诗庐)作《发刊辞》,其中有一段说:

> 今世号通人者,务为艰深之文,陈过高之义,以为士大夫劝,而独不为千万倍里巷乡间之子计,则是智益智,愚益愚,智日少,愚日多也。顾可为治乎哉?

又有一位会员署名"大武"作文《论学官话的好处》,说:

> 诸位呀,要救中国,先要联合中国的人心,要联合中国的人心,先要统一中国的言语。……但现在中国的语言也不知有多少种,如何叫他们合而为一呢?……除了通用官话,更别无法子了。但是官话的种类也很不少,有南方官话,北方官话,有北京官话。现在中国全国通行官话,只须摹仿北京官话,自成一种普通国语哩。

这班人都到过日本,又多数是中国公学的学生,所以都感觉"普通国语"的需要。"国语"一个目标,屡见于《竞业旬报》的第一期,可算是提倡最早的了。

《竞业旬报》第一期是丙午年(一九〇六)九月十一日出版的。同住的钟君看见我常看小说,又能作古文,就劝我为《旬报》作白话文。

第一期里有我的一篇通俗"地理学",署名"期自胜生"。那时候我正读《老子》,爱上了"自胜自强"一句话,所以取了个别号叫希强,又自称"期自胜生"。这篇文字是我的第一篇白话文字,所以我抄其中说"地球是圆的"一段在这里作一个纪念:

> 譬如一个人立在海边,远远的望这来往的船只。那来的船呢,一定是先看见他的桅杆顶,以后方能够看见他的风帆,他的船身一定在最后方可看见。那去的船呢,却恰恰与来的相反,他的船身一定先看不见,然后看不见他的风帆,直到后来方才看不见他的桅杆顶。这是什么缘故呢?因为那地是圆的,所以来的船在那地的低处慢慢行上来,我们看去自然先看见那桅杆顶了。那去的船也是这个道理,不过同这个相反罢了。……诸君们如再不相信,可捉一只苍蝇摆在一只苹果上,叫他从下面爬到上面来,可不是先看见他的头然后再看见他的脚么?……

这段文字已充分表现出我的文章的长处与短处了。我的长处是明白清楚,短处是浅显。这时候我还不满十五岁。二十五年来,我抱定一个宗旨,作文字必须要叫人懂得,所以我从来不怕人笑我的文字浅显。

我作了一个月的白话文,胆子大起来了。忽然决心作一部长篇的章回小说。小说的题目叫作《真如岛》,用意是"破除迷信,开通民智"。我拟了四十回的回目,便开始写下去了。第一回就在《旬报》第三期上发表(丙午十月初一日),回目是:

虞善仁疑心致疾

孙绍武正论祛迷

这小说的开场一段是:

> 话说江西广信府贵溪县城外有一个热闹的市镇叫作神权镇,镇上有一条街叫福儿街。这街尽头的地方有一所高大的房子。有一天下午的时候,这屋的楼上有二人在那里说话。一个是一位老人,年纪大约五十以外的光景,鬓发已经有些花白了,躺在一张床上,把头靠近床沿,身上盖了一条厚被,面上甚是消瘦,好像是重病的模

样。一个是一位十八九岁的后生,生得仪容端整,气概轩昂,坐在床前一只椅子上,听那个老人说话……

我小时最痛恨道教,所以这部小说的开场就放在张天师的家乡。但我实在不知道贵溪县的地理风俗,所以不久我就把书中的主人翁孙绍武搬到我们徽州去了。

《竞业旬报》出到第十期,便停办了。我的小说续到第六回,也停止了。直到戊申年(一九〇八)三月十一日,《旬报》复活,第十一期才出世。但傅君剑已不来了,编辑无人负责,我也不大高兴投稿了。到了戊申七月,《旬报》第二十四期以下就归我编辑。从第二十四期到第三十八期,我作了不少的文字,有时候全期的文字,从论说到时闻,差不多都是我作的。《真如岛》也从第二十四期上续作下去,续到第十一回,《旬报》停刊了,我的小说也从此停止了。这时期我改用了"铁儿"的笔名。

这几十期的《竞业旬报》给了我一个绝好的自由发表思想的机会,使我可以把在家乡和在学校得着的一点点知识和见解,整理一番,用明白清楚的文字叙述出来。《旬报》的办事人从来没有干涉我的言论,所以我能充分发挥我的思想,尤其是我对于宗教迷信的思想。例如《真如岛》小说第八回里,孙绍武这样讨论"因果"的问题:

这"因果"二字,很难说的。从前有人说,"譬如窗外这一树花儿,枝枝朵朵都是一样,何曾有什么好歹善恶的分别?不多一会,起了一阵狂风,把一树花吹一个'花落花飞飞满天',那许多花朵,有的吹上帘栊,落在锦茵之上;有的吹出墙外,落在粪溷之中。这落花的好歹不同,难道好说是这几枝花的善恶报应不成?"这话很是,但是我的意思却还不止此。大约这因果二字是有的。有了一个因,必收一个果。譬如吃饭自然会饱,吃酒自然会醉。有了吃饭吃酒两件原因,自然会生出醉饱两个结果来。但是吃饭是饭的作用生出饱来,种瓜是瓜的作用生出新瓜来,其中并没有什么人为之主宰。如果有什么人为主宰,什么上帝那,菩萨那,既能罚恶人于既作孽之后，为什么不能禁之于未作孽之前呢？……"天"要是真有这么大的能力，何不把天下的人个个都成了善人呢？……"天"即生了恶人，让他在世间作恶，后来又叫他受许多报应，这可不是书上说的"出尔反尔"么？……总而言之，"天"既不能使人不作恶，便不能罚那恶人……

落花一段引的是范缜的话（看本书第二章），后半是我自己的议论。这是很不迟疑的无神论。这时候我另在《旬报》上发表了一些"无鬼丛话"，第一条就引司马温公"形既朽灭，神亦飘飘，虽有剉烧舂磨，亦无所施"的话，和范缜"神之于形，犹利之于刀"的话（参看第二章）。第二条引苏东坡的诗"耕田欲雨刈欲晴，去得顺风来者怨。若使人人祷辄遂，造物应须日千变"。第三条痛骂《西游记》和《封神榜》，其中有这样的话：

夫士君子处颓敝之世，不能摩顶放踵敝口焦舌以挽滔滔之狂澜，曷若隐遁穷邃，与木石终其身！更安忍随波逐流，阿谀取容于当世，用自私利其身？（本条前面说《封神榜》的作者把书稿送给他的女儿作嫁资，其婿果然因此发财。所以此处有"自私利"的话）天壤间果有鬼神者，则地狱之设正为此辈！此其人更安有著书资格耶！（《丛话》原是用文言作的）

这是戊申（一九〇八）年八月发表的。谁也梦想不到说这话的小孩子在十五年后（一九二三）居然很热心的替《西游记》作两万字的考证！如果他有好材料，也许他将来还替《封神榜》作考证哩！

在《无鬼丛话》的第三条里，我还接着说：

《王制》有之："托于鬼神时日卜筮以乱众者，诛。"吾独怪夫数千年来之掌治权者，之以济世明道自期者，乃懵然不之注意，惑世诬民之学说得以大行，遂举我神州民族投诸极黑暗之世界！嗟夫，吾昔谓"数千年来仅得许多脓包皇帝，混账圣贤"，吾岂好骂人哉？吾岂好骂人哉？

这里很有"卫道"的臭味，但也可以表现我在不满十七岁时的思

想路子。《丛话》第四条说：

> 吾尝持无鬼之说，论者或咎余，谓举一切地狱因果之说而摧陷之，使人人敢于为恶，殊悖先王神道设教之旨。此言余不能受也。今日地狱因果之说盛行，而恶人益多，民德日落，神道设教之成效果何如者！且处兹思想竞争时代，不去此种种魔障，思想又乌从而生耶？

这种夸大的口气，出于一个十七岁孩子的笔下，未免叫人读了冷笑。但我现在回看我在那时代的见解，总算是自己独立想过几年的结果，比起现今一班在几个抽象名词里翻筋斗的少年人们，我还不感觉惭愧。

《竞业旬报》上的一些文字，我早已完全忘记了。前年中国国民党的中央宣传部曾登报征求全份的《竞业旬报》，——大概他们不知道这里面一大半的文字是胡适作的，——似乎也没有效果。我靠几个老朋友的帮忙，搜求了几年，至今还不曾凑成全份。今年回头看看这些文字，真有如同隔世之感。但我很诧异的是有一些思想后来成为我的重要的出发点的，在那十七八岁的时期已有了很明白的倾向了，例如我在《旬报》第三十六期上发表一篇《苟且》，痛论随便省事不肯彻底思想的毛病，说"苟且"二字是中国历史上的一场大瘟疫，把几千年的民族精神都瘟死了。我在《真如岛》小说第十一回（《旬报》三十七期）论扶乩的迷信，也说：

> 程正翁，你想罢。别说没有鬼神，即使有鬼神，那关帝吕祖何等尊严，岂肯听那一二张符诀的号召？这种道理总算浅极了，稍微想一想，便可懂得。只可怜我们中国人总不肯想，只晓得随波逐流，随声附和。国民愚到这步田地，照我的眼光看来，这都是不肯思想之故。所以宋朝大儒程伊川说"学原于思"，这区区四个字简直是千古至言。——郑先生说到这里，回过头来，对翼华翼璜道：程子这句话，你们都可写作座右铭。

"学原于思"一句话是我在澄衷学堂读朱子《近思录》时注意到的。我后来的思想走上了赫胥黎和杜威的路上去，也正是因为我从十几岁时就那样十分看重思想的方法了。

又如那时代我在李莘伯办的《安徽白话报》上发表的一篇《论承继之不近人情》（转载在《旬报》廿九期），我不但反对承继儿子，并且根本疑问"为什么一定要儿子？"此文的末尾有一段说：

> 我如今要荐一个极孝顺永远孝顺的儿子给我们中国四万万同胞。这个儿子是谁呢？便是"社会"……
>
> 你看那些英雄豪杰仁人义士的名誉：万古流传，永不湮没；全社会都崇拜他们，纪念他们；无论他们有子孙没有子孙，我们纪念着他们，总不少减；也只为他们有功于社会，所以社会永远感谢他们，纪念他们。阿哈哈，这些英雄豪杰仁人义士的孝子贤孙多极了，多极了！……一个人能作许多有益于大众有功于大众的事业，便可以把全社会都成了他的孝子贤孙。列位要记得：儿子孙子，亲生的，承继的，都靠不住。只有我所荐的孝子顺孙是万无一失的。

这些意思，最初起于我小时看见我的三哥出继珍伯父家的痛苦情形，是从一个真问题上慢慢想出来的一些结论。这一点种子，在四五年后，我因读培根（Bacon）的论文有点感触，在日记里写成我的"无后主义"。在十年以后，又因为我母亲之死引起了一些感想，我才写成《不朽：我的宗教》一文，发挥"社会不朽"的思想。

这几十期的《竞业旬报》，不但给了我一个发表思想和整理思想的机会，还给了我一年多作白话文的训练。清朝末年出了不少的白话报，如《中国白话报》，《杭州白话报》，《安徽俗话报》，《宁波白话报》，《潮州白话报》，都没有长久的寿命。光绪宣统之间，范鸿仙等办《国民白话日报》，李莘伯办《安徽白话报》，都有我的文字，但这两个报都只有几个月的寿命。《竞业旬报》出到四十期，要算最长寿的白话报了。我从第一期投稿起，直到他停办时止，中间不过有短时期没有我的文字。和《竞业旬报》有编辑关系的人，如傅君剑，如张丹斧，如叶德争，都没有我的长久关系，也没有我的长期训练。我不知道我那几十篇文字在当时有什么影响，但我知道这一年多的训练给了我自己绝大的

好处，白话文从此成了我的一种工具。七八年之后，这件工具使我能够在中国文学革命的运动里作了一个开路的工人。

三

我进中国公学不到半年，就得了脚气病，不能不告假医病。我住在上海南市瑞兴泰茶叶店里养病，偶然翻读吴汝纶选的一种古文读本，其中第四册全是古诗歌。这是我第一次读古体诗歌，我忽然感觉很大的兴趣。病中每天读熟几首，不久就把这一册古诗读完了。我小时曾读一本律诗，毫不觉得很大兴味；这回看了这些乐府歌辞和五七言诗歌，才知道诗歌原来是这样自由的，才知道作诗原来不必先学对仗。我背熟的第一首诗是《木兰辞》，第二首是《饮马长城窟行》，第三是《古诗十九首》，一路下去，直到陶潜、杜甫，我都喜欢读，读完了吴汝纶的选本，我又在二哥的藏书里寻得了《陶渊明集》和《白香山诗选》，后来又买了一部《杜诗镜诠》。这时代我专读古体歌行，不肯再读律诗；偶然也读一些五七言绝句。

有一天，我回学堂去，路过《竞业旬报》社，我进去看傅君剑，他说不久就要回湖南去了。我回到了宿舍，写了一首送别诗，自己带给君剑，问他像不像诗。这诗我记不得了，只记得开端是"我以何因缘，得交傅君剑"。君剑很夸奖我的送别诗，但我终有点不自信。过了一天，他送了一首《留别适之即和赠别之作》来，用日本卷笺写好，我打开一看，真吓了一跳。他诗中有"天下英雄君与我，文章知己友兼师"两句，在我这刚满十五岁的小孩子的眼里，这真是受宠若惊了！"难道他是说谎话哄小孩子吗？"我忍不住这样想。君剑这幅诗笺，我赶快藏了，不敢给人看。然而他这两句鼓励小孩子的话可害苦我了！从此以后，我就发愤读诗，想要作个诗人了。有时候，我在课堂上，先生在黑板上解高等代数的算式，我却在斯密司的《大代数学》底下翻

《诗韵合璧》，练习簿上写的不是算式，是一首未完的纪游诗。一两年前我半夜里偷点着蜡烛，伏在枕头上演习代数问题，那种算学兴趣现在都被作诗的新兴趣赶跑了！我在病脚气的几个月之中发见了一个新世界，同时也决定了我一生的命运。我从此走上了文学史学的路，后来几次想矫正回来，想走到自然科学的路上去，但兴趣已深，习惯已成，终无法挽回了。

丁未正月（一九〇七）我游苏州，三月与中国公学全体同学旅行到杭州，我都有诗纪游。我那时全不知道"诗韵"是什么，只依家乡的方音，念起来同韵便算同韵，在西湖上写了一首绝句，只押了两个韵脚，杨千里先生看了大笑，说，一个字在"尤"韵，一个字在"萧"韵。他替我改了两句，意思全不是我的了。我才知道作诗要硬记"诗韵"，并且不妨牺牲诗的意思来迁就诗的韵脚。

丁未五月，我因脚气病又发了，遂回家乡养病（我们徽州人在上海得了脚气病，必须赶紧回家乡，行到钱塘江的上游，脚肿便渐渐退了）。我在家中住了两个多月，母亲很高兴。从此以后，我十年不归家（一九〇七——一九一七），那是母亲和我都没有料到的。那一次在家，和近仁叔相聚甚久，他很鼓励我作诗。在家中和路上我都有诗。这时候我读了不少白居易的诗，所以我这时期的诗，如在家乡作的《弃父行》，很表现《长庆集》的影响。

丁未以后我在学校里颇有少年诗人之名，常常和同学们唱和。有一次我作了一首五言律诗，押了一个"赪"字韵，同学和教员和作的诗有十几首之多。同学中如汤昭（保民）、朱经（经农）、任鸿隽（叔永）、沈翼孙（燕谋）等，都能作诗；教员中如胡梓方先生、石一参先生等，也都爱提倡诗词，梓方先生即是后来出名的诗人胡诗庐，这时候他教我们的英文，英文教员能作中国诗词，这是当日中国公学的一种特色。还有一位英文教员姚康侯先生，是辜鸿铭先生的学生，也是很讲究中国文学的。辜先生译的《痴汉骑马歌》，其实是姚康侯先生和几位同仁修改润色的。姚先生在课堂上常教我们翻译，从英文译汉文，或从汉

文译英文。有时候，我们自己从读本里挑出爱读的英文诗，邀几个能诗的同学分头翻译成中国诗，拿去给姚先生和胡先生评改。姚先生常劝我们看辜鸿铭译的《论语》，他说这是翻译的模范。但五六年后，我得读辜先生译的《中庸》，感觉很大的失望。大概当时所谓翻译，都侧重自由的意译，务必要"典雅"，而不妨变动原文的意义与文字。这种训练也有他的用处，可以使学生时时想到中西文字异同之处。时时想某一句话应该怎样翻译，才可算"达"与"雅"。我记得我们试译一首英文诗，中有Scarecrow一个字，我们大家想了几天，想不出一个典雅的译法。但是这种工夫，现在回想起来，不算是浪费了的。

我初学作诗，不敢作律诗，因为我不曾学过对对子，觉得那是很难的事。戊申（一九〇八）以后，我偶然试作一两首五言律诗来送朋友，觉得并不很难，后来我也常常作五七言律诗了。作惯律诗之后，我才明白这种体裁是似难而实易的把戏；不必有内容，不必有情绪，不必有意思，只要会变戏法，会搬运典故，会调音节，会对对子，就可以诌成一首律诗。这种体裁最宜于作没有内容的应酬诗，无论是殿廷上应酬皇帝，或寄宿舍里送别朋友，把头摇几摇，想出了中间两联，凑上一头一尾，就是一首诗了；如果是限韵或和韵的诗，只消从韵脚上去着想，那就更容易了。大概律诗的体裁和步韵的方法所以不能废除，正因为这都是最方便的戏法。我那时读杜甫的五言律诗最多，所以我作的五律颇受他的影响。七言律诗，我觉得没有一首能满意的，所以我作了几首之后就不作了。

现在我把我在那时作的诗抄几首在这里，也算一个时期的纪念：

秋日梦返故居（戊申八月）

秋高风怒号，客子中怀乱。抚枕一太息，悠悠归里闬。入门拜慈母，母方抚孙玩。齐儿见叔来，牙牙似相唤。拜母复入室，诸嫂同炊爨。问答乃未已，举头日已旰。方期长聚首，岂复疑梦幻？年来历世故，遭际多忧患。耿耿苦思家，听人讥斥鹇（玩字原作弄，是误用方音，前年改玩字）。

军人梦（译 Thomas Campbell's A Soldier's Dream）（戊申）

笳声销歇暮云沉，耿耿天河灿列星。战士疮痍横满地，倦者酣眠创者逝。枕戈藉草亦蘧然，时见刍人影摇曳。长夜沉沉夜未央，陶然入梦已三次。梦中忽自顾，身已离行伍，秋风拂襟袖，独行殊踽踽，唯见日东出，迎我归乡土。纵横阡陌间，尽是钓游迹，时闻老农刈稻歌，又听牛羊噪山脊。归来戚友咸燕集，誓言不复相离别。娇儿数数亲吾额，少妇情深自鸣咽。举室争言君已倦，幸得归休免征战。惊回好梦日熹微，梦魂渺渺成虚愿（刍人原作刍灵，今年改）。

酒　　醒（己酉）

酒能销万虑，已分醉如泥。烛泪流干后，更声断续时。醒来还苦忆，起坐一沉思。窗外东风峭，星光淡欲垂。

女优陆菊芬演《纺棉花》（己酉）

永夜亲机杼，悠悠念远人。朱弦纤指弄，一曲翠眉颦。满座天涯客，无端旅思新。未应儿女语，争奈不胜春！

秋柳　有序（己酉）

秋日适野，见万木皆有衰意。而柳以弱质，际兹高秋，独能迎风而舞，意态自如。岂老氏所谓能以弱者存耶？感而赋之。

但见萧飕万木摧，尚作垂柳拂人来。西风莫笑长条弱，也向西风舞一回（西风莫笑，原作"凭君漫说"，民国五年改。长条原作"柔条"，十八年改）。

五、我怎样到外国去

一

戊申（一九〇八）九月间，中国公学闹出了一次大风潮，结果是大多数学生退学出来，另组织一个中国新公学。这一次的风潮为的是一个宪法的问题。

中国公学在最初的时代，纯然是一个共和国家，评议部为最高立法机关，执行部的干事即由公选产生出来。不幸这种共和制度实行了九个月（丙午二月至十一月），就修改了。修改的原因，约有几种：一是因为发起的留日学生逐渐减少，而新招来的学生逐渐加多，已不是当初发起时学生与办事人完全不分界限的情形了。二是因为社会和政府对于这种共和制度都很疑忌。三是因为公学既无校舍，又无基金，有请求官款补助的必要，所以不能不避免外界对于公学内部的疑忌。

为了这种种原因，公学的办事人就在丙午年（一九〇六）的冬天，请了郑孝胥、张謇、熊希龄等几十人作中国公学的董事，修改章程，于是学生主体的制度就变成了董事会主体的制度。董事会根据新章程，公举郑孝胥为监督。一年后，郑孝胥辞职，董事会又举夏敬观为监督。这两位都是有名的诗人，他们都不常到学校，所以我们也不大觉得监督制的可畏。

可是在董事会与监督之下，公学的干事就不能由同学公选了。评议部是新章所没有的。选举的干事改为学校聘任的教务长、庶务长、斋务长了。这几位办事人，外面要四出募捐，里面要担负维持学校的责任，自然感觉他们的地位有稳定的必要。况且前面已说过，校章的修改也不是完全没有理由的。但我们少年人可不能那样想。中国公学的校章上明明载着"非经全体三分之二承认，不得修改"。这是我们的宪法上载着的唯一的修正方法。三位干事私自修改校章，是非法的。评议部的取消也是非法的。这里面也还有个人的问题。当家日子久了，总难免"猫狗皆嫌"。何况同学之中有许多本是干事诸君的旧日同辈的朋友呢？在校上课的同学自然在学业上日日有长进，而干事诸君办事久了，学问上没有进境，却当着教务长一类的学术任务，自然有时难免受旧同学的轻视。法的问题和这种人的问题混合在一块，风潮就不容易避免了。

代议制的评议部取消之后，全体同学就组织了一个"校友会"，其实就等于今日各校的学生会。校友会和三干事争了几个月，干事答应了校章可由全体学生修改。又费了几个月的时间，校友会把许多修正案整理成一个草案，又开了几次会，才议定了一本校章。一年多的争执，经过了多少度的磋商，新监督夏先生与干事诸君均不肯承认这新改的校章。

到了戊申（一九〇八）九月初三日，校友会开大会报告校章交涉的经过，会尚未散，监督忽出布告，完全否认学生有订改校章之权，这竟是完全取消干事承认全体修改校章的布告了。接着又出了两道布告，一道说"集会演说，学堂悬为厉禁……校友会以后不准再行开会"。一道说学生代表朱经、朱绂华"倡首煽众，私发传单，侮辱职员，要挟发布所自改印章程，屡诫不悛，纯用意气，实属有意破坏公学。照章应即斥退，限一日内搬移出校"。

初四日，全体学生签名停课，在操场上开大会。下午干事又出布

告,开除学生罗君毅、周烈忠、文之孝等七人,并且说"如仍附从停课,即当将停课学生全行解散,另行组织"。初五日,教员出来调停,想请董事会出来挽救。但董事会不肯开会。初七日学生大会遂决议筹备万一学校解散后的办法。

初八日董事陈三立先生出来调停,但全校人心已到了很激昂的程度,不容易挽回了。初九日,校中布告:"今定于星期日暂停膳食。所有被胁诸生可先行退出校外,暂住数日。准于今日午后一时起,在寰球中国学生会发给旅膳费。俟本公学将此案办结后,再行布告来校上课。"

这样的压迫手段激起了校中绝大多数同学的公愤。他们决定退学,遂推举干事筹备另创新校的事。退学的那一天,秋雨淋漓,大家冒雨搬到爱尔近路庆祥里新租的校舍里。厨房虽然寻来了一家,饭厅上桌凳都不够,碗碟也不够。大家都知道这是我们自己创立的学校,所以不但不叫苦,还要各自掏腰包,捐出钱来作学校的开办费。有些学生把绸衣、金表,都拿去当了钱来捐给学堂作开办费。

十天之内,新学校筹备完成了,居然聘教员,排功课,正式开课了。校名定为"中国新公学",学生有一百六七十人。在这风潮之中,最初的一年因为我是新学生,又因为我告了长时期的病假,所以没有参与同学和干事的争执;到了风潮正激烈的时期,我被举为大会书记,许多记录和宣言都是我作的,虽然不在被开除之列,也在退学之中。朱经、李琴鹤、罗君毅被举作干事。有许多旧教员都肯来担任教课。学校虽然得着社会上一部分人的同情,捐款究竟很少,经费很感觉困难。李琴鹤君担任教务干事,有一天他邀我到他房里谈话,他要我担任低级各班的英文,每星期教课三十点钟,月薪八十元;但他声明,自家同学作教员,薪俸是不能全领的,总得欠着一部分。

我这时候还不满十七岁,虽然换了三个学堂,始终没有得着一张毕业证书。我若继续上课,明年可以毕业了。但我那时确有不能继续求学的情形。我家本没有钱。父亲死后，只剩几千两的存款，存在同乡店里生息，一家人全靠这一点出息过日子。后来存款的店家倒账了，分摊起来，我家分得一点小店业。我的二哥是个有才干的人，他往来汉口、上海两处，把这点小店业变来变去，又靠他的同学朋友把他们的积蓄寄存在他的店里，所以他能在几年之中合伙撑起一个规模较大的瑞兴泰茶叶店。但近几年中，他的性情变了，一个拘谨的人变成了放浪的人；他的费用变大了，精力又不能贯注到店事，店中所托的人又不很可靠，所以店业一年不如一年。后来我家的亏空太大了，上海的店业不能不让给债权人。当戊申的下半年，我家只剩汉口一所无利可图的酒栈（两仪栈）了。这几个月以来，我没有钱住宿舍，就寄居在《竞业旬报》社里（也在庆祥里）。从七月起，我担任《旬报》的编辑，每出一期报，社中送我十块钱的编辑费。住宿和饭食都归社中担负。我家中还有母亲，眼前就得要我寄钱赡养了。母亲也知道家中破产就在眼前，所以寄信来要我今年回家去把婚事办了。我斩钉截铁的阻止了这件事，名义上是说求学要紧，其实是我知道家中没有余钱给我办婚事，我也没有钱养家。

　　正在这个时候，李琴鹤君来劝我在新公学作教员。我想了一会，就答应了。从此以后，我每天教六点钟的英文，还要改作文卷子。十七八岁的少年人，精力正强，所以还能够勉强支持下去，直教到第二年（一九〇九）冬天中国新公学解散时为止。

　　以学问论，我那时怎配教英文？但我是个肯负责任的人，肯下苦功去预备功课，所以这一年之中还不曾有受窘的时候，我教的两班后来居然出了几个有名的人物：饶毓泰（树人），杨铨（杏佛），严庄（敬斋），都作过我的英文学生。后来我还在校外收了几个英文学生，其中有一个就是张奚若。可惜他们后来都不是专习英国文学，不然，我可真"抖"了。

　　《竞业旬报》停刊之后，我搬进新公学去住。这一年的教书生活虽

然很苦，于我自己却有很大的益处。我在中国公学两年，受姚康侯和王云五两先生的影响很大，他们都最注重文法上的分析，所以我那时虽不大能说英国话，却喜欢分析文法的结构，尤其喜欢拿中国文法来作比较。现在作了英文教师，我更不能不把字字句句的文法弄的清楚。所以这一年之中，我虽没有多读英国文学书，却在文法方面得着很好的练习。

* * * *

中国新公学在最困苦的情形之下支持了一年多，这段历史是很悲壮的。那时候的学堂多不讲究图书仪器的设备，只求作到教员好，功课紧，管理严，就算好学堂了。新公学的同学因为要争一口气，所以成绩很好，管理也不算坏。但经费实在太穷，教员只能拿一部分的薪俸，干事处常常受收房捐和收巡捕捐的人的恶气；往往因为学校不能付房捐和巡捕捐，同学们大家凑出钱来，借给干事处。有一次干事朱经农君（即朱经）感觉学校经费困难已到了绝地，他忧愁过度，神经错乱，出门乱走，走到了徐家汇的一条小河边，跳下河去，幸遇人救起，不曾丧命。

这时候，中国公学的吴淞新校舍已开始建筑了，但学生很少。内地来的学生，到了上海，知道了两个中国公学的争持，大都表同情于新公学，所以新公学的学生总比老公学多。例如张奚若（原名耘）等一些陕西学生，到了上海，赶不上招考时期，他们宁可在新公学附近租屋补习，却不肯去老公学报名。所以"中国新公学"的招牌一天不去，"中国公学"是一天不得安稳发展的，老公学的职员万不料我们能支持这么久。他们也知道我们派出去各省募捐的代表，如朱绂华、朱经农、薛传斌等，都有有力的介绍，也许有大规模的官款补助的可能。新公学募款若成功，这个对峙的局面更不容易打消了。

老公学的三干事之中，张邦杰先生（俊生）当风潮起时在外省募款未归；他回校后极力主张调停，收回退学的学生。不幸张先生因建筑吴淞校舍，积劳成病，不及见两校的合并就死了。新公学董事长李平书先生因新校经济不易维持，也赞成调停合并。调停的条件大致是：凡新公学的学生愿意回去的，都可回去；新公学的功课成绩全部承认；新公学所有亏欠的债务，一律由老公学担负清偿。新公学一年之中亏欠已在一万元以上，捐款究竟只是一种不能救急的希望；职员都是少年人，牺牲了自己的学业来办学堂，究竟不能持久。所以到了己酉（一九〇九）十月，新公学接受了调停的条件，决议解散：愿回旧校者，自由回去。我有题新校合影的五律二首，七律一首，可以纪念我们在那时候的感情，所以我抄在这里：

十月题新校合影时公学将解散

无奈秋风起，　艰难又一年。
颠危俱有责，　成败岂由天？
黯黯愁兹别，　悠悠祝汝贤。
不堪回首处，　沧海已桑田。

此地一为别，　依依无限情。
凄凉看日落，　萧瑟听风鸣。
应有天涯感，　无忘城下盟！
相携入图画，　万虑苦相萦。

十月再题新校教员合影

也知胡越同舟谊，　无奈惊涛动地来。
江上飞鸟犹绕树，　尊前残蜡已成灰。
昙花幻想空余恨，　鸿爪遗痕亦可哀。
莫笑劳劳作当狗，　且论臭味到岑苔。

这都算不得诗，但"应有天涯感，无忘城下盟"两句确是当时的心理。合并之后，有许多同学都不肯回老公学去，也是如此。这一年的

经验,为一个理想而奋斗,为一个团体而牺牲,为共同生命而合作,这些都在我们一百六十多人的精神上留下磨不去的影子。二十年来,无人写这一段历史,所以我写这几千字,给我的一班老同学留一点"鸿爪遗痕"。

廿一,九,廿七

*　　*　　*　　*

少年人的理想主义受打击之后,反动往往是很激烈的。在戊申己酉(一九〇八——一九〇九)两年之中,我的家事败坏到不可收拾的地步。己酉年,大哥和二哥回家,主张分析家产;我写信回家,说我现在已能自立了,不要家中的产业。其实家中本没有什么产业可分,分开时,兄弟们每人不过得着几亩田、半所屋而已。那一年之中,我母亲最心爱的一个妹子和一个弟弟先后死了,他自己也病倒了,我在新公学解散之后,得了两三百元的欠薪,前途茫茫,毫无把握,那敢回家去?只好寄居在上海,想寻一件可以吃饭养家的事。在那个忧愁烦闷的时候,又遇着一班浪漫的朋友,我就跟着他们堕落了。

二

中国新公学有一个德国教员,名叫何德梅(Ottomeir),他的父亲是德国人,母亲是中国人,他能说广东话、上海话、官话,什么中国人的玩意儿,他全会。我从新公学出来,就搬在他隔壁的一所房子里住,这两所房子是通的,他住东屋,我和几个四川朋友住西屋。和我同住的人,有林君墨(恕)、但怒刚(懋辛)诸位先生;离我们不远,住着唐桂梁(蟒)先生,是唐才常的儿子。这些人都是日本留学生,都有革命党的关系;在那个时候各地的革命都失败了,党人死的不少,这些人都很不高兴,都很有牢骚。何德梅常邀这些人打麻将,我不久也学会了。我们打牌不赌钱，谁赢谁请吃雅叙园。我们这一班人都能喝酒，每人面前摆一大壶，自斟自饮。从打牌到喝酒，从喝酒又到叫局，从叫局到吃花酒，不到两个月，我都学会了。

幸而我们都没有钱，所以都只能玩一点穷开心的玩意儿：赌博到吃馆子为止，逛窑子到吃"镶边"的花酒或打一场合股份的牌为止。有时候，我们也同去看戏。林君墨和唐桂梁发起学唱戏，请了一位小喜禄来教我们唱戏，同学之中有欧阳予倩，后来成了中国戏剧界的名人。我最不行，一句也学不会，不上两天我就不学了。此外，我还有一班小朋友，同乡有许怡荪、程乐亭、章希吕诸人，旧同学有郑仲诚、张蜀川、郑铁如诸人。怡荪见我随着一班朋友发牢骚，学堕落，他常常规劝我。但他在吴淞复旦公学上课，是不常来的，而这一班玩的朋友是天天见面的，所以我那几个月之中真是在昏天黑地里胡混，有时候，整天的打牌；有时候，连日的大醉。

* * * *

有一个晚上，闹出乱子来了。那一晚我们在一家"堂子"里吃酒，喝的不少了，出来又到一家去"打茶围"。那晚上雨下的很大，下了几点钟还不止。君墨、桂梁留我打牌，我因为明天要教书（那时我在华童公学教小学生的国文），所以独自雇人力车走了。他们看我能谈话，能在一叠"局票"上写诗词，都以为我没喝醉，也就让我一个人走了。

其实我那时已大醉了，谈话写字都只是我的"下意识"的作用，我全不记忆。出门上车以后，我就睡着了。

直到第二天天明时，我才醒来，眼睛还没有睁开，就觉自己不是睡在床上，是睡在硬的地板上！我疑心昨夜喝醉了，睡在家中的楼板上，就喊了一声"老彭！"——老彭是我雇的一个湖南仆人。喊了两声，没有人答应，我已坐起来了，眼也睁开了。

奇怪的很！我睡在一间黑暗的小房里，只有前面有亮光，望出去好

像没有门。我仔细一看，口外不远还好像有一排铁栅栏。我定神一听，听见栏杆外有皮鞋走路的声响。一会儿，狄托狄托的走过来了，原来是一个中国巡捕走过去。

我有点明白了，这大概是巡捕房，只不知道我怎样到了这儿来的。我想起来问一声，这时候才觉得我一只脚上没有鞋子，又觉得我身上的衣服都是湿透了的。我摸来摸去，摸不着那一只皮鞋，只好光着一只袜子站起来，扶着墙壁走出去，隔着栅栏招呼那巡捕，问他这是什么地方。

他说："这是巡捕房。"

"我怎么会进来的？"

他说："你昨夜喝醉了酒，打伤了巡捕，半夜后进来的。"

"什么时候我可以出去？"

"天刚亮一会，早呢！八点钟有人来，你就知道了。"

我在亮光之下，才看见我的旧皮袍不但是全湿透了，衣服上还有许多污泥。我觉得脸上有点疼，用手一摸，才知道脸上也有污泥，并且有破皮的疤痕。难道我真同人打了架吗？

这是一个春天的早晨，一会儿就是八点钟了。果然有人来叫我出去。

在一张写字桌边，一个巡捕头坐着，一个浑身泥污的巡捕立着回话。那巡捕头问：

"就是这个人？"

"就是他。"

"你说下去。"

那浑身泥污的巡捕说：

"昨夜快十二点钟时候，我在海宁路上班，雨下的正大。忽然（他指着我）他走来了，手里拿着一只皮鞋敲着墙头，狄托狄托的响。我拿巡捕灯一照，他开口就骂。"

"骂什么?"

"他骂'外国奴才!'我看他喝醉了,怕他闯祸,要带他到巡捕房里来。他就用皮鞋打我,我手里有灯,抓不住他,被他打了好几下。后来我抱住他,抢了他的鞋子,他就和我打起来了。两个人抱住不放,滚在地上。下了一夜的大雨,马路上都是水,两个人在泥水里打滚。我的灯也打碎了,身上脸上都被他打了。他脸上的伤是在石头上擦破了皮。我吹叫子,唤来了一部空马车,两个马夫帮我捉住他,关在马车里,才能把他送来。我的衣服是烘干了,但是衣服上的泥都不敢弄掉,这都是在马路当中滚的。"

我看他脸上果然有伤痕,但也像是擦破了皮,不像是皮鞋打的。他解开上身,也看不出什么伤痕。

巡捕头问我,我告诉了我的真姓名和职业,他听说我是在华童公学教书的,自然不愿得罪我。他说,还得上堂问一问,大概要罚几块钱。

他把桌子上放着的一只皮鞋和一条腰带还给我。我穿上了鞋子,才想起我本来穿有一件缎子马褂。我问他要马褂,他问那泥污的巡捕,他回说:"昨夜他就没有马褂。"

我心里明白了。

我住在海宁路的南林里,那一带在大雨的半夜里是很冷静的。我上了车就睡着了。车夫到了南林里附近,一定是问我到南林里第几弄。我大概睡的很熟,不能回答了。车夫叫我不醒,也许推我不醒,他就起了坏心思,把我身上的钱摸去了,又把我的马褂剥去了。帽子也许是他拿去了的,也许是丢了的。他大概还要剥我的皮袍,不想这时候我的"下意识"醒过来了,就和他抵抗。那一带是没有巡捕的,车夫大概是拉了车子跑了,我大概追他不上,自己也走了。皮鞋是跳舞鞋式的,没有鞋带,所以容易掉下来;也许是我跳下车来的时候就掉下来了,也许我拾起来了一只鞋子来追赶那车夫。车夫走远了,我赤着一只脚在雨地

里自然追不上。我慢慢的依着"下意识"走回去,醉人往往爱装面子,所以我丢了东西反唱起歌来了,——也许唱歌是那个巡捕的胡说,因为我的意识生活是不会唱歌的。

这是我自己用想象来补充的一段,是没有法子证实的了。但我想到在车上熟睡的一段,不禁有点不寒而栗,身上的水湿和脸上的微伤那能比那时刻的生命的危险呢?

巡捕头许我写一封短信叫人送到我的家中。那时候郑铁如(现在的香港中国银行行长)住在我家中,我信上托他带点钱来准备作罚款。

上午开堂问事的时候,几分钟就完了,我被罚了五元,作那个巡捕的养伤费和赔灯费。

我到了家中,解开皮袍,里面的棉袄也湿透了,一解开来,里面热气蒸腾:湿衣裹在身上睡了一夜,全蒸热了!我照镜子,见脸上的伤都只是皮肤上的微伤,不要紧的。可是一夜的湿气倒是可怕。

同住的有一位四川医生,姓徐,医道颇好。我请他用猛药给我解除湿气。他下了很重的泻药,泻了几天;可是后来我手指上和手腕上还发出了四处的肿毒。

* * * *

那天我在镜子里看见我脸上的伤痕,和浑身的泥湿,我忍不住叹一口气,想起"天生我材必有用"的诗句,心里百分懊悔,觉得对不起我的慈母,——我那在家乡时时刻刻悬念着我,期望着我的慈母!我没有掉一滴眼泪,但是我已经过了一次精神上的大转机。

我当日在床上就写信去辞了华童公学的职务,因为我觉得我的行为玷辱了那个学校的名誉。况且我已决心不作那教书的事了。

那一年(庚戌,一九一○)是考试留美赔款官费的第二年。听说,考试取了备取的还有留在清华学校的希望,我决定关起门来预备去应考试。

许怡荪来看我,也力劝我摆脱一切去考留美官费。我所虑的有几点：一是要筹养母之费，二是要还一点小债务，三是要筹两个月的费用和北上的旅费。怡荪答应替我去设法。后来除他自己之外，帮助我的有程乐亭的父亲松堂先生，和我的族叔祖节甫先生。

我闭户读了两个月的书，就和二哥绍之一同北上。到了北京，蒙二哥的好朋友杨景苏先生（志洵）的厚待，介绍我住在新在建筑中的女子师范学校（后来的女师大）校舍里，所以费用极省。在北京一个月，我不曾看过一次戏。

杨先生指点我读旧书，要我从《十三经注疏》用功起。我读汉儒的经学，是从这个时候起的。

留美考试分两场，第一场考国文英文，及格者才许考第二场的各种科学。国文试题为《不以规矩不能成方圆说》，我想这个题目不容易发挥，又因我平日喜欢看杂书，就作了一篇乱谈考据的短文，开卷就说：

矩之作也，不可考矣。规之作也，其在周之末世乎？

下文我说《周髀算经》作圆之法足证其时尚不知道用规作圆；又孔子说"不逾矩"，而不并举规矩，至墨子、孟子始以规矩并用，足证规之晚出。这完全是一时异想天开的考据，不料那时看卷子的先生也有考据癖，大赏识这篇短文，批了一百分。英文考了六十分，头场平均八十分，取了第十名。第二场考的各种科学，如西洋史，如动物学，如物理学，都是我临时抱佛脚预备起来的，所以考得很不得意。幸亏头场的分数占了大便宜，所以第二场我还考了个第五十五名。取送出洋的共七十名，我很挨近榜尾了。

南下的旅费是杨景苏先生借的。到了上海，节甫叔祖许我每年遇必要时可以垫钱寄给我的母亲供家用。怡荪也答应帮助。没有这些好人的帮助，我是不能北去，也不能放心出国的。

　　我在学校里用胡洪骍的名字；这回北上应考，我怕考不取为朋友学生所笑，所以临时改用胡适的名字。从此以后，我就叫胡适了。

廿一，九，廿七夜。